한 번에 합격!

Topik

토픽 Ⅱ

강경민, 김승수, 김지혜, 김풀잎, 린미, 부이티낌응언,
양길류, 쩐후인안트, 최단, 홍고은 공편저

브랜드만족
1위
박문각
근거자료
별면표기

최신판

□ 문제 유형별 풀이 전략 제시
□ 최신 기출문제 완벽 반영
□ 실전 모의고사 2회 수록

▶ 동영상 강의 www.pmg.co.kr

머리말

TOPIK II 쓰기는 많은 수험생이 TOPIK II에서 가장 어렵게 느끼는 영역입니다. 그러나 동시에 정확한 유형 파악과 체계적인 훈련을 통해 가장 확실하게 점수를 높일 수 있는 영역이기도 합니다. 51번부터 54번까지 각 문항이 요구하는 능력과 전략이 다르므로, 문항의 특성을 정확히 이해하고 문항별 맞춤 훈련을 쌓는 것이 고득점의 핵심입니다.

이 교재는 수험생 여러분이 쓰기 영역을 단계적으로 준비할 수 있도록 다음과 같이 구성하였습니다.

첫째, 51~52번은 '4단계 풀이 전략'을 중심으로 학습할 수 있도록 하였습니다. 각 문항의 유형적 특성을 분석하고 기출문제를 바탕으로 자주 출제되는 실용문 유형과 표현을 체계적으로 정리하였습니다. 4단계 전략을 단계별로 익힘으로써 논리적이고 완성도 높은 답안을 작성할 수 있도록 하였습니다.

둘째, 53번은 삼단 구조 글쓰기 방법을 바탕으로 유형별 전략을 단계적으로 익힐 수 있도록 하였습니다. 변화와 원인 제시, 설문 조사 결과 보고, 도표 설명 등 각 유형을 하위 단계로 나누어 연습한 후, 이를 하나의 완성된 글로 연결할 수 있도록 구성하였습니다.

셋째, 54번은 부담 없이 시작하여 완성도를 높여 가는 방식으로 연습할 수 있도록 하였습니다. 400~500자 분량의 개요 짜기와 글쓰기 연습으로 시작하고, 단계적으로 600~700자까지 확장하는 방식을 안내하여 처음 접하는 수험생도 포기하지 않고 답안을 완성할 수 있도록 하였습니다.

이 교재가 제시하는 단계별 훈련을 차근차근 따라가다 보면 쓰기 실력이 눈에 띄게 향상될 것입니다. TOPIK Ⅱ에 도전하는 여러분의 노력이 반드시 원하는 결과로 이어지기를 진심으로 응원합니다.

2026년 3월
집필진 일동

TOPIK 소개

Guide 1 TOPIK(Test of Proficiency in Korean) 시험 안내

1. 시험 개요

- **시험 목적:** 한국어를 모국어로 하지 않는 재외동포·외국인의 한국어 학습 방향 제시 및 한국어 보급 확대, 한국어 사용 능력을 측정·평가하여 그 결과를 국내 대학 및 취업 등에 활용
- **응시 대상:** 한국어를 모국어로 하지 않는 재외동포·외국인
- **유효 기간:** 성적 발표일로부터 2년간 유효
- **주관 기관:** 교육부 국립국제교육원

2. 시험 방식

한국어능력시험(TOPIK)은 시험 방식에 따라 PBT(Paper-Based Test)와 IBT(Internet-Based Test)로 나뉘어 시행됩니다. 두 방식 모두 동일한 등급 체계와 합격 기준을 따르며, 학습자는 본인의 타이핑/필기 선호도에 맞춰 선택하여 응시할 수 있습니다.

▌TOPIK PBT vs IBT 한눈에 비교하기

구분	PBT (Paper-Based Test)	IBT (Internet-Based Test)
시험 방식	종이 시험지 + OMR 카드 마킹	고사장 내 PC 및 마우스/키보드 사용
듣기 영역	고사장 스피커로 전체 방송	개별 헤드셋 착용 후 청취
쓰기 영역	원고지에 직접 손글씨로 작성	키보드로 한글 타이핑 입력
읽기 영역	시험지에 밑줄을 그으며 문제 풀이	모니터 화면으로 지문을 읽고 클릭
준비물	수험표, 신분증, 수정테이프 등	수험표, 신분증 (메모용 연습지 제공)
성적 발표	시험일로부터 약 6~7주	시험일로부터 약 1~2주 후 (매우 빠름)
핵심 차이점	띄어쓰기와 원고지 작성법의 정확한 숙지 필요, 글씨체도 중요	한국어 타이핑 속도 중요, 수정이 매우 간편한 장점

3. 시험 시간 및 문항 구성

1) 토픽 PBT

▌시험 수준 및 등급

구분	토픽 I		토픽 II			
	1급	2급	3급	4급	5급	6급
등급 결정	80~139	140~200	120~149	150~189	190~229	230~300

※ 35회 이후 시험기준으로 토픽 I 은 초급, 토픽 II 는 중·고급 수준입니다.

▌시험 시간표

시험 수준	교시	영역	한국 기준			시험 시간(분)
			입실 완료 시간	시험 시작	시험 종료	
토픽 I	1교시	듣기, 읽기	09:20 까지	10:00	11:40	100
토픽 II	1교시	듣기, 쓰기	12:20 까지	13:00	14:50	110
	2교시	읽기	15:10 까지	15:20	16:30	70

▌시험 수준별 구성

시험 수준	교시	영역	문제 유형	문항 수	배점	총점
토픽 I	1교시	듣기	선택형	30	100	200
		읽기	선택형	40	100	
토픽 II	1교시	듣기	선택형	50	100	300
		쓰기	서답형	4	100	
	2교시	읽기	선택형	50	100	

- 선택형 문항(4지선다형)
- 서답형 문항(쓰기 영역)
  - 문장완성형(단답형): 2문항
  - 작문형: 2문항(200~300자 정도의 중급 수준 설명문 1문항, 600~700자 정도의 고급 수준 논술문 1문항)

TOPIK 소개

2) 토픽 IBT

▌시험 수준 및 등급

구분	토픽 I		토픽 II			
	1급	2급	3급	4급	5급	6급
등급 결정	121~235	236~400	191~290	291~360	361~430	431~600

▌시험 시간표

시험 수준	영역	한국 기준				시험 시간(분)
		입실 시작 시간	입실 완료 시간	시험 시작	시험 종료	
토픽 I IBT	듣기(30분) 읽기(40분)	08:30부터	08:50까지	9:30	10:40	70분
토픽 II IBT	듣기(35분) 읽기(40분) 쓰기(50분)	12:00부터	12:20까지	13:00	15:05	125분

▌시험 수준별 구성

구분	토픽 I IBT		토픽 II IBT		
	듣기	읽기	듣기	읽기	쓰기
평가 영역별 시험 시간	30분	40분	35분	40분	50분
평가 영역별 문제 수	26문제	26문제	30문제	30문제	3문제
평가 영역별 만점	200점	200점	200점	200점	200점
총점	400점		600점		

Guide 2 TOPIK II 등급별 평가 기준

등급	주요 평가 기준
3급	일상생활 유지에 어려움이 없으며, 공공시설 이용 및 사회적 관계 유지에 필요한 기초 언어 기능을 수행할 수 있음.
4급	뉴스, 신문 기사 중 평이한 내용을 이해할 수 있으며, 일반적인 사회적 · 추상적 소재를 비교적 정확하고 유창하게 사용 가능함.
5급	전문 분야에서의 연구나 업무 수행에 필요한 언어 기능을 어느 정도 수행할 수 있으며, 정치 · 경제 · 사회 · 문화 전반의 소재를 이해함.
6급	전문 분야의 업무 수행을 비교적 정확하고 유창하게 수행 가능. 원어민 수준에는 미치지 못하나 의미 표현에 어려움을 겪지 않음.

Guide 3 TOPIK II 쓰기 문항 분석

- **쓰기(Writing)**
  - **문장 완성형 (51~52번):** 실용문 및 설명문의 맥락에 알맞은 문장 완성
  - **작문형 (53~54번)**
    - 53번: 그래프/도표를 분석하여 200~300자의 설명문 작성
    - 54번: 주어진 주제에 대해 자신의 논리를 600~700자의 논술문으로 작성

[쓰기] 유형 소개

 실용문 문장 완성하기

'실용문 문장 완성하기' 유형은 쓰기 51번 문제입니다. 51번 문제는 이메일, 메시지, 안내문, 인터넷 글 등 일상생활 속에서 친숙한 주제를 다루고 있는 실용문의 목적을 이해하고, 앞뒤 내용이 자연스럽게 이어지도록 어휘와 문법을 사용해서 문장을 구성하는 문제입니다. 4~7개의 문장으로 구성된 실용문에서 2개의 빈칸에 들어갈 알맞은 표현을 작성해야 합니다. 전에는 문장을 종결하는 표현이 주로 출제되었으나, 최근에는 문장 중간에 내용을 써야 하는 문제도 나옵니다.

문제 수준	3~4급
배점	PBT 10점/100점, IBT 미공개/200점
시간 배분	PBT 5분/50분, IBT 5분/50분

▌ 채점 기준

구분	채점 근거	점수(점)
내용 및 과제 수행	1) 제시된 제목이나 내용에 어울리는 내용을 썼는가? 2) 담화의 앞뒤 내용과 자연스럽게 이어지는가?	5~0 (2문제)
언어 사용	1) 담화의 문맥에 적합한 어휘를 사용했는가? 2) 담화의 문맥에 적합한 문법을 사용했는가? 3) 적합한 격식체를 사용했는가?	

▌ 감점 포인트

감점(−) 포인트

1) 답안을 두 개 이상 작성하면 채점되지 않습니다.
2) 담화의 문맥에 어울리지 않은 어휘나 문법을 사용하면 감점이 됩니다.
3) 불필요한 내용이 추가되어 원래의 의미에서 벗어나는 경우 감점이 됩니다.
4) 맞춤법이나 띄어쓰기를 잘못 작성하면 감점이 됩니다.

유형 소개 설명문 문장 완성하기

'설명문 문장 완성하기' 유형은 쓰기 52번 문제입니다. 52번 문제는 일반적인 생활과 상식에 대해 다양한 주제를 다루고 있는 설명문의 목적을 이해하고, 앞뒤 내용에 자연스럽게 이어지는 어휘와 문법을 사용해서 문장을 구성하는 문제입니다. 5~6개의 문장으로 구성된 설명문에서 2개의 빈칸에 들어갈 알맞은 표현을 작성해야 합니다. 설명문은 객관적인 정보를 읽는 사람이 이해하기 쉽도록 대조, 원인–결과, 이유 등의 설명 방법을 활용해 논리적으로 전개한 글입니다.

문제 수준	3~4급
배점	PBT 10점/100점, IBT 미공개/200점
시간 배분	PBT 5분/50분, IBT 5분/50분

🔖 채점 기준

구분	채점 근거	점수(점)
내용 및 과제 수행	1) 글의 중심 생각과 어울리는 내용을 썼는가? 2) 담화의 앞뒤 내용과 자연스럽게 이어지는가?	5~0 (2문제)
언어 사용	1) 담화의 문맥에 적합한 어휘를 사용했는가? 2) 담화의 문맥에 적합한 문법을 사용했는가? 3) 적합한 격식체를 사용했는가?	

🔖 감점 포인트

감점(−) 포인트
1) 답안을 두 개 이상 작성하면 채점되지 않습니다. 2) 담화의 문맥에 어울리지 않는 어휘나 문법을 사용하면 감점이 됩니다. 3) 불필요한 내용이 추가되어 원래의 의미에서 벗어나는 경우 감점이 됩니다. 4) 맞춤법이나 띄어쓰기를 잘못 작성하면 감점이 됩니다.

[쓰기] 유형 소개

 그래프를 설명하는 글 쓰기

'그래프를 설명하는 글 쓰기' 유형은 쓰기 53번 문제입니다. 53번 문제는 제시된 도표나 그래프와 같은 객관적인 자료를 바탕으로 사실을 전달하는 글을 작성하는 문제입니다. 글에서는 조사 기관과 대상, 수치 변화, 변화의 원인, 그리고 미래 전망을 순서대로 포함해야 하며, 개인적인 생각이나 추측은 배제하고 주어진 자료의 내용만을 정확하게 기술해야 합니다. 53번 문제는 일반적으로 변화와 원인 분석하여 제시하기, 설문 조사 결과 보고하기, 도표 설명하기 등의 유형으로 분류할 수 있습니다.

문제 수준	4~5급
배점	PBT 30점/100점, IBT 미공개/200점
시간 배분	PBT 15분/50분, IBT 15분/50분

■ 채점 기준

구분	채점 근거	점수(점)		
		상	중	하
내용 및 과제 수행 (7점)	1) 주어진 과제를 충실히 수행하였는가? 2) 주제와 관련된 내용으로 구성하였는가? 3) 내용을 풍부하고 다양하게 표현하였는가?	7~6	5~3	2~0
글의 전개 구조 (7점)	1) 글의 구성이 명확하고 논리적인가? 2) 글의 내용에 따라 단락 구성이 잘 이루어졌는가? 3) 논리 전개에 도움이 되는 담화 표지를 적절하게 사용하여 조직적으로 연결하였는가?	7~6	5~3	2~0
언어 사용 (8X2=16점)	1) 문법과 어휘를 다양하고 풍부하게 사용하며 적절한 문법과 어휘를 선택하여 사용하였는가? 2) 문법, 어휘, 맞춤법 등의 사용이 정확한가? 3) 글의 목적과 기능에 따라 격식에 맞게 글을 썼는가?	16~14	12~8	6~0

■ 가점 및 감점 포인트

가점(+) 포인트	감점(−) 포인트
1) 문제에서 요구한 과제를 모두 수행하고 내용이 풍부하게 표현되어야 합니다. 2) 글을 조리 있게 전개해야 하며, 200~300자 내에 도입-전개-마무리 구조를 갖추어야 합니다. 3) 주어진 자료를 정확하게 이해하고 해석해서 기술하며, 결과의 도출도 자료를 바탕으로 해야 합니다. 4) 중급 이상의 어휘, 문법으로 문장을 구성해서 언어를 다양하고 풍부하게 사용하는 것이 좋습니다.	1) 자료를 임의로 해석하거나 자료와 관계 없는 개인의 주장을 썼습니다. 2) 글의 형식성, 격식성에 맞게 써야 합니다. 구어적인 표현을 사용하거나 종결형으로 '-ㅂ/습니다, -아/어요'를 사용했습니다. 3) 글을 개조식으로 썼습니다.

유형 소개 논리적인 글 쓰기

'논리적인 글 쓰기' 유형은 쓰기 54번 문제로, 제시된 주제에 맞는 한 편의 논리적인 글을 완성하는 문제입니다. 분량은 600~700자이며, 주어진 3개의 과제에 답을 해 가며 글의 내용을 구성합니다. 보통 주제는 사회적으로 이슈가 되는 내용이거나 개인의 가치관을 묻는 내용이며, 과제 하나를 한 문단으로 하여 모두 3개의 문단으로 작성합니다.

문제 수준	5~6급
배점	PBT 50점/100점, IBT 미공개/200점
시간 배분	PBT 25~30분/50분, IBT 30분/50분

■ 채점 기준

구분	채점 근거	점수(점)		
		상	중	하
내용 및 과제 수행 (12점)	1) 주어진 과제를 충실히 수행하였는가? 2) 주제와 관련된 내용으로 구성하였는가? 3) 내용을 풍부하고 다양하게 표현하였는가?	12~9	8~5	4~0
글의 전개 구조 (12점)	1) 글의 구성이 명확하고 논리적인가? 2) 중심 생각이 잘 구성되어 있는가? 3) 논리 전개에 도움이 되는 담화 표지를 적절하게 사용하여 조직적으로 연결하였는가?	12~9	8~5	4~0
언어 사용 (13X2=26점)	1) 문법과 어휘를 다양하고 풍부하게 사용하며 적절한 문법과 어휘를 선택하여 사용하였는가? 2) 문법, 어휘, 맞춤법 등의 사용이 정확한가? 3) 글의 목적과 기능에 따라 격식에 맞게 글을 썼는가?	26~20	18~12	10~0

■ 가점 및 감점 포인트

가점(+) 포인트	감점(−) 포인트
1) 문제에서 요구한 과제를 모두 수행하고, 내용이 풍부하게 표현되어야 합니다.	1) 문제에서 요구한 과제를 일부만 수행하거나 중심 생각을 뒷받침하는 내용이 부족합니다. 또한 앞에서 언급한 내용을 반복하여 내용이 중복됩니다.
2) 글을 조리 있게 전개해야 하며, 도입–전개–마무리 구조를 갖추는 것이 필요합니다. 또한 내용이 전환되면 문단을 바꾸어 쓰는 것이 좋습니다.	2) 문단 구분이 없거나 하나의 과제를 한 문단으로 구성하지 않아 도입–전개–마무리 구조를 갖추지 않았습니다. 또한 중심 생각과 뒷받침 생각이 구분되지 않거나 '그리고'와 같은 담화 표지를 사용하지 않아 논리 전개를 파악하기 어렵습니다.
3) 중·고급 수준의 어휘, 문법으로 문장을 구성해서 언어를 다양하고 풍부하게 사용해야 합니다. 같은 내용이라도 수준 높은 언어를 사용해서 기술하면 '언어 사용'에서 높은 점수를 받습니다.	3) 초·중급 수준의 어휘, 문법으로만 문장을 구성하여 깊이 있는 사고를 언어로 표현하지 못했습니다. 더불어 구어적인 표현을 사용하거나 종결형으로 '-ㅂ/습니다'나 '-아/어요'를 사용했습니다.
	4) 600~700자 분량을 벗어나거나 원고지 사용에 오류가 있습니다. 그리고 문제에서 제시된 표현이나 문장을 바꾸지 않고 그대로 옮겨 썼습니다.

띄어쓰기 및 문장 부호

✦ '한글 맞춤법'에서는 띄어쓰기 원칙을 다음과 같이 설명하고 있습니다. 여기에서는 틀리기 쉬운 띄어쓰기 원칙을 살펴봅니다.

구분	원칙	주의해야 할 초·중급 문법과 표현
조사	조사는 그 앞말에 붙여 쓴다.	밖에(뒤에 부정 표현이나 의문문이 옴), 처럼, 같이, 보다, 마다, 조차, (이)야말로, 은/는/ㄴ커녕, -(으)ㄹ 수밖에 없다
의존 명사	의존 명사는 띄어 쓴다.	-(으)ㄹ 수 있다/없다, -(으)ㄹ 줄 알다/모르다, -(으)ㄴ/는/(으)ㄹ 것, -(으)ㄴ 적이 있다/없다, -(으)ㄴ 지('어떤 일이 일어났던 때부터 지금까지의 동안'의 의미), -(으)ㄴ/는/(으)ㄴ 데, -는 바람에, -(으)ㄹ 뿐만 아니라, -(으)ㄹ 뿐이다, -(으)ㄴ/는/(으)ㄹ 만큼, -(으)ㄴ/는 편이다, -(으)ㄴ/는 셈이다, -(으)ㄴ/는 채로, -(으)ㄴ/는 대로, -(으)ㄹ 겸 -(으)ㄹ 겸
단위 명사	단위를 나타내는 명사는 띄어 쓴다.	한 개
	다만, 순서를 나타내는 경우나 숫자와 어울리어 쓰이는 경우에는 붙여 쓸 수 있다.	첫째, 1개
보조 용언	보조 용언은 띄어 씀을 원칙으로 하되, 경우에 따라 붙여 씀도 허용한다.	-아/어 주다/드리다, -아/어 보다, -아/어 두다, -아/어 놓다, -아/어 있다, -아/어 버리다, -(으)ㄹ 만하다, -(으)ㄴ/는 척하다 [붙여 쓰기] 도와주다, 도와드리다
기타	두 말을 이어 주거나 열거할 적에 쓰이는 말들은 띄어 쓴다.	여자 대 남자, 학생 및 선생님, 사과 또는 배, 중학생 혹은 고등학생, 아침 겸 점심, 책상, 의자 등/등등

✦ '한글 맞춤법'에서는 문장 부호에 대해서 다음과 같이 설명하고 있습니다. 여기에서는 주요 문장 부호를 살펴봅니다.

문장 부호	사용 및 예시	알아 둬야 할 점
마침표(.)	1) 서술, 명령, 청유 등을 나타내는 문장의 끝에 쓴다. 2) 아라비아 숫자만으로 연월일을 표시할 때 쓴다. 예 2026. 1. 1.	중국어나 일본어와 같이 안이 비어 있는 형태로(。) 쓰지 않아야 함
물음표(?)	의문문이나 의문을 나타내는 어구의 끝에 쓴다.	TOPIK에서 많이 쓰지 않으나, 평소 스페인어와 같이 거꾸로 된 형태로(¿, ¡) 쓰지 않아야 함
느낌표(!)	감탄문이나 감탄사의 끝에 쓴다.	

쉼표(,)	1) 같은 자격의 어구를 열거할 때 그 사이에 쓴다. 　**예** 인쇄매체는 책, 잡지, 신문 등으로 ~ 2) 열거의 순서를 나타내는 어구 다음에 쓴다. 　**예** 첫째, ~ / 마지막으로, ~ 3) 문장의 연결 관계를 분명히 하고자 할 때 절과 절 사이에 쓴다. 4) 같은 말이 되풀이되는 것을 피하기 위하여 일정한 부분을 줄여서 열거할 때 쓴다. 　**예** 10년간 운동 및 산책은 4배, 출퇴근은 14배, 기타는 3배 늘어난 것으로 나타났으며, ~ 5) 한 문장 안에서 앞말을 '곧', '다시 말해' 등과 같은 어구로 다시 설명할 때 앞말 다음에 쓴다.	53번, 54번에서 쉼표를 적절하게 사용한다면 읽는 사람이 글의 내용을 파악하기 쉬움
가운뎃점(·)	열거할 어구들을 일정한 기준으로 묶어서 나타낼 때 쓴다. 　**예** 공연장 · 문화센터가 40%로 ~	53번 설문 조사 문제(조사 항목)에서 사용할 수 있음
큰따옴표(" ")	글 가운데에서 직접 대화를 표시할 때 쓴다.	TOPIK에서 많이 쓰지 않음
작은따옴표(' ')	문장 내용 중에서 주의가 미쳐야 할 곳이나 중요한 부분을 특별히 드러내 보일 때에 쓴다. 　**예** 성인 남녀 3,000명을 대상으로 '아이를 꼭 낳아야 하는가'에 대해 조사하였다. / '그렇다'라고 응답한 남자는 ~	53번 설문 조사 문제(조사 주제, 응답 항목)에서 사용할 수 있음
물결표(~)	기간이나 거리 또는 범위를 나타낼 때 쓴다. 　**예** 20~50대 1,300명을 조사한 ~	53번 설문 조사 문제(조사 대상)에서 사용할 수 있음
소괄호(( ))	주석이나 보충적인 내용을 덧붙일 때 쓴다. 　**예** 찬성이 55%로, 반대(45%)보다 5%p가 높았다.	53번 설문 조사 문제(조사 결과)에서 사용할 수 있음

✦ 띄어쓰기와 문장 부호에 대한 더 자세한 사항은 국립국어원(www.korean.go.kr)의 '어문 규범 〉 한글 맞춤법'을 참고해 주시기 바랍니다.

원고지 쓰는 법

<u>TOPIK PBT 53~54번은 원고지에 작성해야 합니다. IBT는 원고지에 쓰지 않습니다.</u>

✦ 한 칸에 한 자씩 쓰고 문단의 첫 칸은 비웁니다. 보통 53번은 한 문단을, 54번은 세 문단을 씁니다. 매 줄의 첫 칸은 문단이 시작하는 경우가 아니라면 비우지 않습니다.

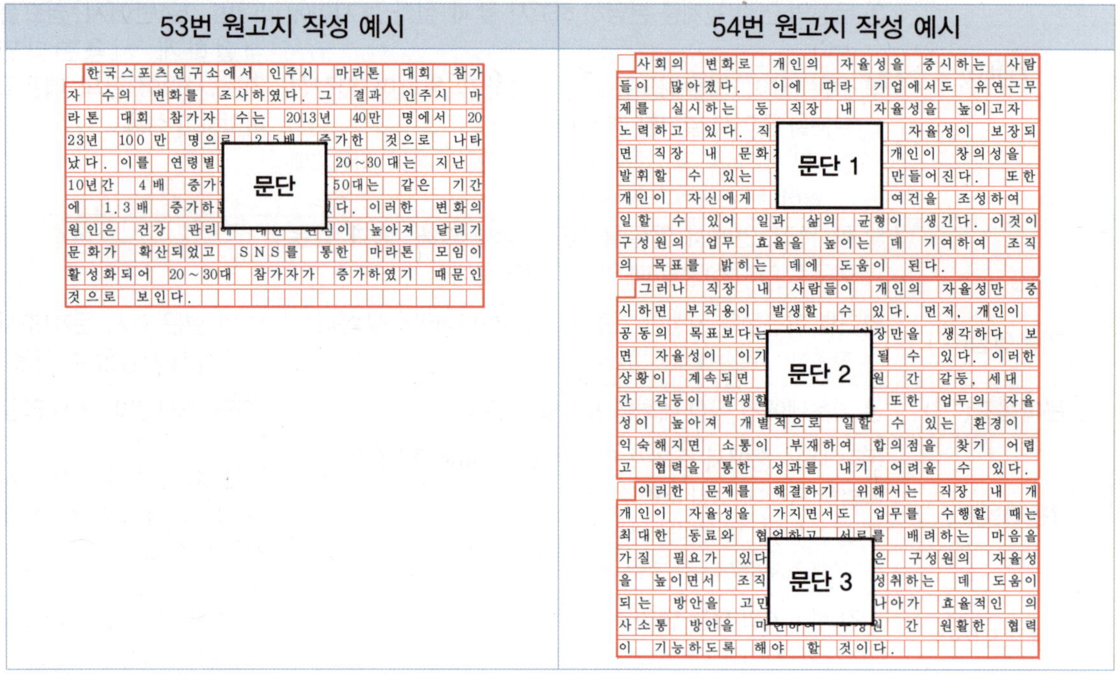

✦ '줄의 끝에서 띄어쓰기할 칸이 없는 경우, 띄어쓰기하지 않고 다음 줄의 첫 칸에 다음 내용을 이어서 씁니다. 아래에서 '이것이 구성원의' 부분은 '이것이'와 '구성원의' 사이에 띄어쓰기가 있습니다. 하지만 '이것이' 다음에 띄어쓰기할 칸이 없으므로, 띄어쓰기하지 않고 다음 줄의 첫 칸부터 '구성원의'를 썼습니다.

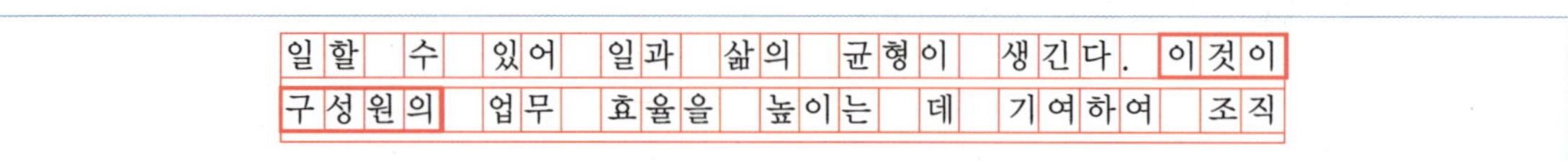

✦ 마침표(.)와 쉼표(,) 뒤에는 칸을 비우지 않습니다. 물음표(?)와 느낌표(!) 뒤에는 한 칸을 비우지만, 53~54번 답안에서는 물음표(?)나 느낌표(!)를 쓸 일이 거의 없습니다.

마침표(.), 쉼표(,)	시하면 부작용이 발생할 수 있다. 먼저, 개인이
물음표(?), 느낌표(!)	위해서는 무엇을 해야 할까? 먼저 직장 내 개

✦ '줄의 마지막 칸까지 쓰고 마침표(.)나 쉼표(,)를 써야 한다면, 마지막 칸의 글자와 함께 씁니다. 물음표(?)와 느낌표(!)의 경우는 마지막 칸 옆에 써도 괜찮습니다.

마침표(.), 쉼표(,)	고 협력을 통한 성과를 내기 어려울 수도 있다.
	이러한 상황이 계속되면 책임자와 팀원 간 갈등,
물음표(?), 느낌표(!)	한 문제를 해결하기 위해서는 무엇을 해야 할까?

✦ 큰따옴표(" ")와 작은따옴표(' ')는 시작할 때는 칸의 오른쪽 위에, 끝날 때는 왼쪽 위에 씁니다. 줄의 마지막 칸까지 쓰고 큰따옴표(" ")나 작은따옴표(' ')를 써야 한다면, 마지막 칸의 글자와 함께 씁니다.

보통의 경우	소에서 '인주시 마라톤 대회 참가자 수'의 변
마지막 칸에서	포츠연구소에서 '인주시 마라톤 대회 참가자 수'

✦ 숫자는 한 칸에 2개를 씁니다. 하지만 한 칸에 숫자 2개를 쓴 후 마지막에 숫자 1개가 남았다면, 남은 숫자 1개는 한 칸에 씁니다. 숫자에 '91.1%'와 같이 소수점(.)이 있거나 '1,300명'과 같이 쉼표(,)가 있는 경우, 소수점(.)이나 쉼표(,)는 앞뒤 숫자와 함께 씁니다. 퍼센트(%)나 물결표(~)는 한 칸에 씁니다.

스마트폰 사용에 대해 20~50대 1,300명을 조사
한 결과, '찬성'이 91.1%, '반대'가 2.2%로

✦ 영어는 대문자(ABC)의 경우 한 칸에 한 글자를, 소문자(abc)의 경우 한 칸에 두 글자를 씁니다. 하지만 소문자(abc) 2개를 한 칸에 쓴 후 마지막에 글자 1개가 남았다면, 남은 글자 1개는 한 칸에 씁니다.

ChatGPT와 같은 챗봇 AI의 사용이 증가하

✦ 가운뎃점(·)은 한 칸을 사용하며, 칸의 가운데에 점을 찍습니다.

경우 공연장·문화센터가 40%로 가장 높게 나타

구성과 특징

❶ 문항 유형 분석 및 채점 기준 제시

TOPIK II 쓰기 51~54번 문항의 특징과 배점, 시간 배분 전략을 상세히 분석하였습니다. 수험생이 가장 궁금해하는 정확한 채점 기준과 감점 및 가점 포인트를 명확히 정리하여, 목표 점수 달성을 위한 전략적인 글쓰기 방향을 잡을 수 있도록 구성하였습니다.

❷ 단계별 풀이 공식과 구조화 훈련

체계적으로 정답을 도출하는 단기 완성 공식을 제시하였습니다. 실용문과 설명문은 〈4단계 전략〉으로 빈칸을 채우도록 하였으며, 도표 설명과 논리적 글쓰기는 '도입-전개-마무리'의 〈삼단 구조〉를 바탕으로 개요를 짜고 글을 완성하는 훈련을 반복하도록 구성하였습니다.

❸ 기출 분석을 통한 필수 문법과 표현 제공

최신 기출문제를 분석하여 문항 유형별로 반드시 알아야 할 필수 문법과 표현을 한눈에 보기 쉽게 정리하였습니다. 실용문 예상 내용부터 증감, 순위, 인과관계 표현까지 상세히 제시하여 문맥에 맞는 정확하고 다양한 어휘를 선택할 수 있도록 하였습니다.

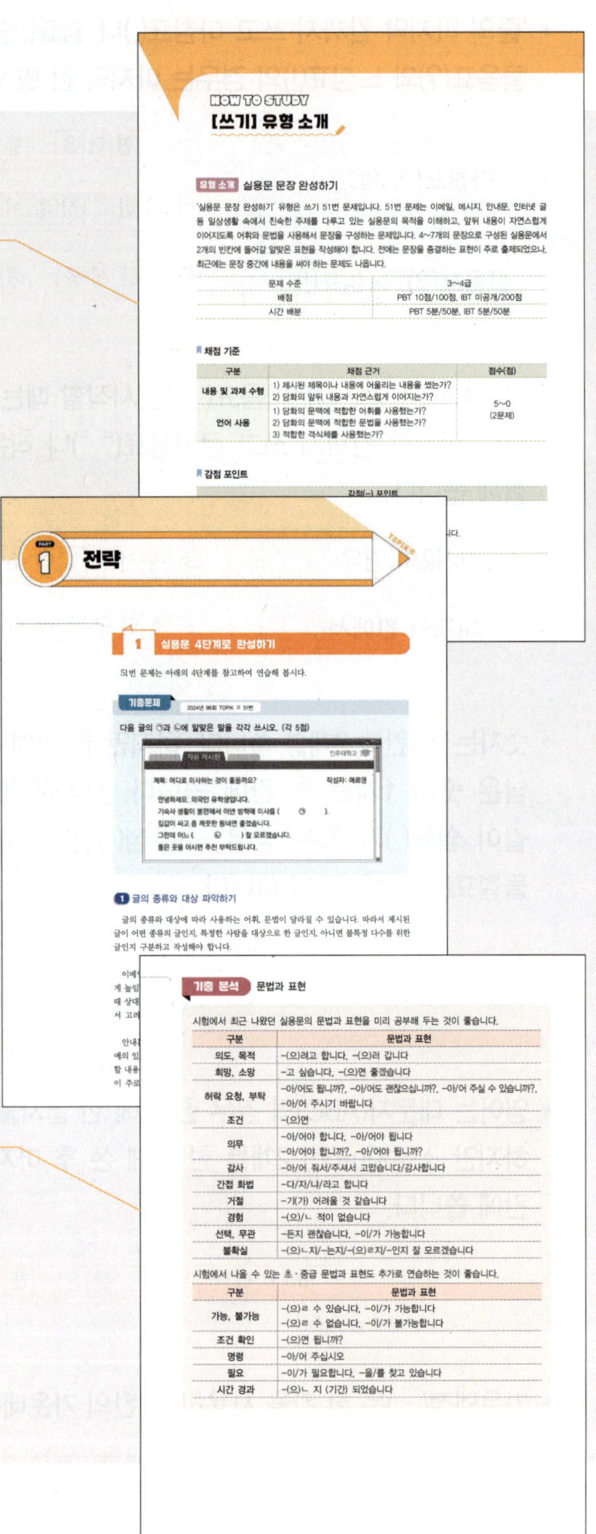

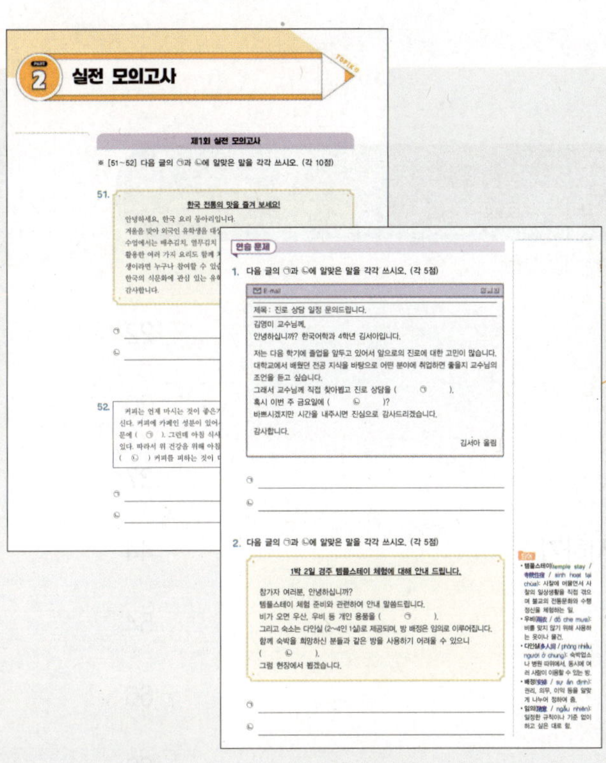

④ 실전 감각을 높이는 연습 문제와 모의고사

학습한 문제 해결 전략을 바탕으로 실력을 점검할 수 있는 풍부한 〈연습 문제〉를 수록하였습니다. 나아가 실제 시험과 동일한 환경에서 실전 감각을 극대화할 수 있도록, 출제 가능성이 높은 문항들을 엄선하여 〈실전 모의고사〉를 구성하였습니다.

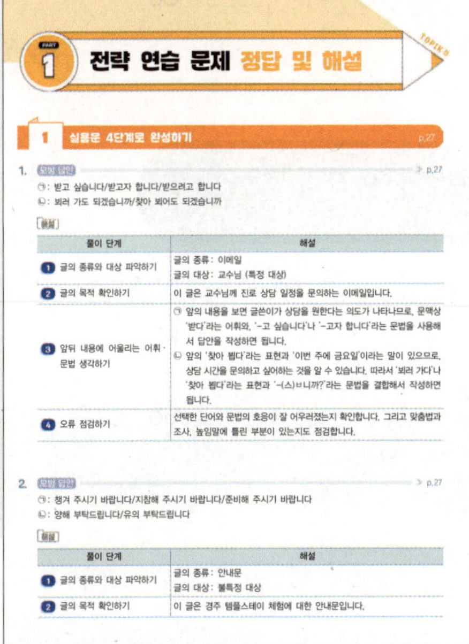

⑤ 상세한 정답과 해설 및 모범 답안

연습 문제와 실전 모의고사를 혼자서도 충분히 학습할 수 있도록 문항별 〈모범 답안〉과 상세한 해설을 제공하였습니다. 답안이 도출되는 논리적 과정과 구체적인 설명을 꼼꼼하게 정리하여, 수험생 스스로 자신의 글과 비교하며 쓰기 실력을 완벽하게 다질 수 있도록 하였습니다.

차 례

PART 1 전략

PART 2 실전 모의고사

✚ 정답 및 해설

PART 1 전략

PART 2 실전 모의고사

PART
1
전략

전략

1 실용문 4단계로 완성하기

51번 문제는 아래의 4단계를 참고하여 연습해 봅시다.

기출문제   2024년 96회 TOPIK II 51번

다음 글의 ㉠과 ㉡에 알맞은 말을 각각 쓰시오. (각 5점)

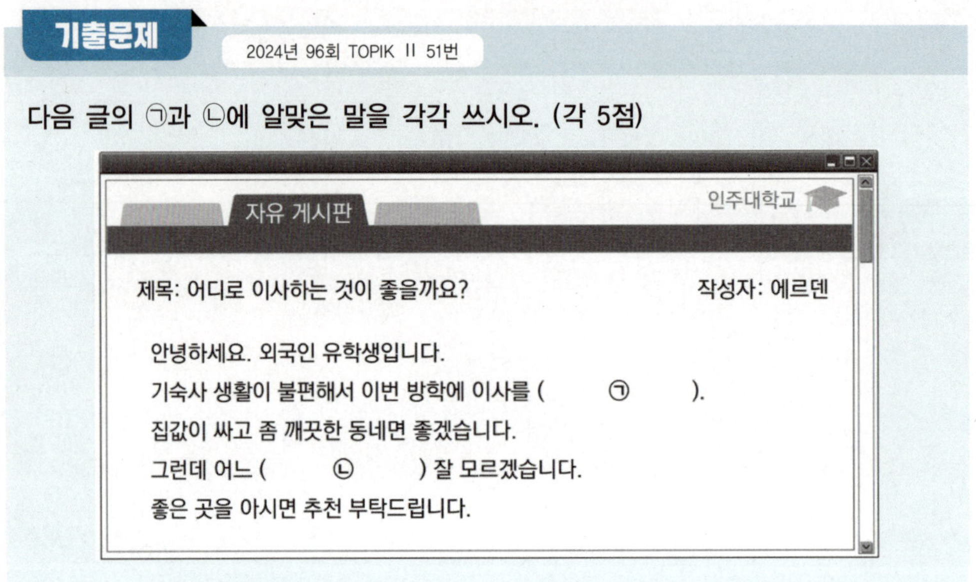

1 글의 종류와 대상 파악하기

글의 종류와 대상에 따라 사용하는 어휘, 문법이 달라질 수 있습니다. 따라서 제시된 글이 어떤 종류의 글인지, 특정한 사람을 대상으로 한 글인지, 아니면 불특정 다수를 위한 글인지 구분하고 작성해야 합니다.

이메일이나 문자 메시지인 경우, 선생님, 교수님 등 특정한 사람을 위한 글이면 적절하게 높임말을 써야 하거나 완곡하게 얘기해야 합니다. 예를 들어, 교수님의 의견에 반대할 때 상대방이 불쾌하지 않도록 '저는 이에 동의하지 않습니다.' 대신 '혹시 이 부분에 대해서 고려해 주실 수 있을지 여쭤보고 싶습니다.'가 더 적절합니다.

안내문, 인터넷 글, 초대장 등과 같이 특정 개인이 아닌 일반 대중을 위한 글인 경우, 예의 있고 공적인 느낌이 있는 문법 표현을 사용해야 합니다. 예를 들어, 공지문에서 부탁할 내용을 전달할 때는 '-아/어 주시기 바랍니다/-(으)시기 바랍니다/-아/어 주십시오' 등의 표현이 주로 사용됩니다.

| 연습1 | 96회 기출문제를 보면서 글의 종류와 대상을 파악해 봅시다. |

글의 종류	글의 종류를 쓰시오.
글의 대상	글의 대상을 쓰시오.
TIP	글의 제목 위에 '자유 게시판'이라는 내용이 있으므로, 글의 종류는 '인터넷 글'로 판단할 수 있습니다. 또한 게시판에 올린 글이기 때문에 글의 대상은 '불특정 다수'로 확인할 수 있습니다.

여기서 잠깐!

읽는 사람에 따라 높임말을 적절하게 사용해야 고득점을 받을 수 있으므로, 기본적인 높임말을 반드시 알아 두는 것이 좋습니다.

• 동사에 '-(으)시'를 붙입니다.
  - 선생님, 몇 시에 <u>도착합니까 → 도착하십니까</u>?
  - 내일 오전 10시에 회의에 참석해 <u>주기 → 주시기</u> 바랍니다.

• 어휘에 높임말을 사용합니다.

단어	높임말	단어	높임말	단어	높임말
있다	계시다	주다	드리다	이름	성함
먹다/마시다	드시다/잡수시다	묻다/물어보다	여쭙다	집	댁
자다	주무시다	데리다	모시다	나이	연세
말하다	말씀하시다	아프다	편찮으시다	사람/명	분
만나다	뵙다	죽다	돌아가시다	생일	생신

  - 선생님, <u>이름 → 성함</u>이 어떻게 되시나요?
  - 세미나에 참석하신 분께는 기념품을 <u>줄 → 드릴</u> 예정입니다.
  - 어머님, 저녁을 <u>먹었어요 → 드셨어요</u>?

2 글의 목적 확인하기

글의 목적을 잘 파악하면 글쓴이가 어떤 내용과 의미를 전달하려고 하는지 알 수 있기 때문에, 빈칸에 들어가는 답을 더 쉽게 찾을 수 있습니다. 특히 글의 제목을 잘 살펴보면, 글의 핵심 정보와 목적을 바로 확인할 수 있습니다. 만약 제목이 제시되지 않는다면, 글 전체를 읽으며 목적을 추론해야 합니다.

연습 2	96회 기출문제를 보면서 글의 목적을 확인해 봅시다.
글의 목적	글의 목적을 쓰시오.
TIP	'어디로 이사하는 것이 좋을까요?'라는 제목과 글의 내용을 읽어 보면, 글쓴이가 '이사 갈 동네를 찾고 싶어한다'는 것을 알 수 있습니다.

3 앞뒤 내용에 어울리는 어휘·문법 생각하기

세 번째 단계에서 가장 먼저 해야 하는 일은 빈칸 앞뒤 내용을 꼼꼼히 살펴보는 것입니다. 작성해야 할 답안은 앞뒤 내용과 긴밀한 연관이 있으므로, 앞뒤 문맥을 충분히 확인한 뒤 자연스럽게 이어질 수 있는 어휘와 문법을 생각하면 됩니다. 또한 답안 작성에 필요한 단어나 표현은 앞뒤 문장에 이미 제시되어 있는 경우가 많기 때문에, 주변 문장을 잘 확인하면 답안을 보다 쉽게 떠올릴 수 있습니다.

아울러 실용문의 빈칸에 들어가는 내용을 작성할 때는 격식체 사용에도 유의해야 합니다. 실용문은 공식적인 정보를 전달하기 위해 일상생활에서 사용되는 글로, '-ㅂ/습니다'와 같은 격식 있고 공손한 종결 어미가 주로 사용됩니다. 반면에 '-아/어요' 형태는 그동안 시험에 거의 나오지 않았습니다.

연습 3	96회 기출문제를 보면서 앞뒤 내용에 어울리는 어휘·문법을 생각해 봅시다.
㉠	㉠에 알맞은 말을 쓰시오.
㉡	㉡에 알맞은 말을 쓰시오.
TIP	㉠ 제목과 앞뒤 문장을 통해 글쓴이가 '이사'를 계획하고 있음을 알 수 있으므로, ㉠에 들어갈 내용은 이사에 대한 의도를 나타내야 하는 것입니다. 따라서 제목에 제시된 '이사하다'라는 단어와 '-(으)려고 하다', '-고 싶다'와 같은 계획을 표현하는 문법을 사용하여 문장을 완성할 수 있습니다. ㉡ 접속 부사 '그런데'와 '잘 모르겠습니다'라는 표현을 보면, 어떤 사실에 대한 정보가 불확실할 때 사용되는 '-(으)ㄴ지/-는지/-(으)ㄹ지/-인지'와 같은 표현이 들어가야 하는 것을 추측할 수 있습니다. 또한 앞에 '동네', 뒤에 '좋은 곳'이라는 말이 있으므로, 이 단어들을 사용하여 문장을 완성할 수 있습니다.
모범 답안	㉠ 하려고 합니다/하고 싶습니다 ㉡ 동네가 좋은지/동네가 좋을지/곳으로 갈지

4 오류 점검하기

마지막으로 작성한 답안이 앞뒤 문장의 문맥에 자연스럽게 이어지는지 다시 확인합니다. 또한 맞춤법과 조사도 틀린 부분이 있는지 다시 점검하는 것이 좋습니다. 특히, 글의 대상에 따라 적절한 높임말을 사용했는지도 확인이 필요합니다.

연습 4	96회 기출문제를 보면서 오류를 점검해 봅시다.
오류 여부 확인	[연습 3]에서 오류가 있었다면 다시 고쳐 쓰시오.
TIP	㉠에서 선택한 단어와 '–(으)려고 하다'나 '–고 싶다'를 글 전체에 자연스럽게 어울리도록 작성했습니다. 그리고 ㉡에서 선택한 단어와 '–(으)ㄴ지/–는지/–(으)ㄹ지/–인지 잘 모르겠다'도 글 전체에 자연스럽게 어울리도록 작성했습니다. 마지막으로 맞춤법과 조사에 틀린 부분이 있는지 다시 살펴봅니다.

기출 분석 실용문 종류

최근 시험에 출제된 실용문의 종류와 각 종류별 예상 주요 내용을 미리 알아 두면, 문제 푸는 데 도움이 될 것입니다.

실용문의 종류	예상 주요 내용
안내문	안내, 모집, 광고, 나눔, 공사, 주의, 금지, 요청, 협조 등
이메일	약속 변경, 부탁, 문의, 확인, 안부, 신청, 제출, 건의, 인사, 감사, 사과, 축하 등
문자 메시지	약속 변경, 확인, 감사, 안부, 사과, 축하, 부탁, 거절 등
초대장	모임, 공연, 특강, 환영회, 생일 파티, 행사, 결혼식, 집들이, 졸업식 등
인터넷 글	구함, 문의, 구매 후기, 환불, 교환 등

시험에서 최근 나왔던 실용문의 문법과 표현을 미리 공부해 두는 것이 좋습니다.

구분	문법과 표현
의도, 목적	–(으)려고 합니다, –(으)러 갑니다
희망, 소망	–고 싶습니다, –(으)면 좋겠습니다
허락 요청, 부탁	–아/어도 됩니까?, –아/어도 괜찮으십니까?, –아/어 주실 수 있습니까?, –아/어 주시기 바랍니다
조건	–(으)면
의무	–아/어야 합니다, –아/어야 됩니다 –아/어야 합니까?, –아/어야 됩니까?
감사	–아/어 줘서/주셔서 고맙습니다/감사합니다
간접 화법	–다/자/냐/라고 합니다
거절	–기(가) 어려울 것 같습니다
경험	–(으)/ㄴ 적이 없습니다
선택, 무관	–든지 괜찮습니다, –이/가 가능합니다
불확실	–(으)ㄴ지/–는지/–(으)ㄹ지/–인지 잘 모르겠습니다

시험에서 나올 수 있는 초·중급 문법과 표현도 추가로 연습하는 것이 좋습니다.

구분	문법과 표현
가능, 불가능	–(으)ㄹ 수 있습니다, –이/가 가능합니다 –(으)ㄹ 수 없습니다, –이/가 불가능합니다
조건 확인	–(으)면 됩니까?
명령	–아/어 주십시오
필요	–이/가 필요합니다, –을/를 찾고 있습니다
시간 경과	–(으)ㄴ 지 (기간) 되었습니다

연습 문제

1. 다음 글의 ㉠과 ㉡에 알맞은 말을 각각 쓰시오. (각 5점)

> ✉ E-mail
>
> 제목 : 진로 상담 일정 문의드립니다.
>
> 김영미 교수님께,
> 안녕하십니까? 한국어학과 4학년 김서아입니다.
>
> 저는 다음 학기에 졸업을 앞두고 있어서 앞으로의 진로에 대한 고민이 많습니다.
> 대학교에서 배웠던 전공 지식을 바탕으로 어떤 분야에 취업하면 좋을지 교수님의
> 조언을 듣고 싶습니다.
> 그래서 교수님께 직접 찾아뵙고 진로 상담을 (㉠   ).
> 혹시 이번 주 금요일에 (㉡   )?
> 바쁘시겠지만 시간을 내주시면 진심으로 감사드리겠습니다.
>
> 감사합니다.
>
> 김서아 올림

㉠ ____

㉡ ____

2. 다음 글의 ㉠과 ㉡에 알맞은 말을 각각 쓰시오. (각 5점)

> **<u>1박 2일 경주 템플스테이 체험에 대해 안내 드립니다.</u>**
>
> 참가자 여러분, 안녕하십니까?
> 템플스테이 체험 준비와 관련하여 안내 말씀드립니다.
> 비가 오면 우산, 우비 등 개인 용품을 (㉠   ).
> 그리고 숙소는 다인실 (2~4인 1실)로 제공되며, 방 배정은 임의로 이루어집니다.
> 함께 숙박을 희망하신 분들과 같은 방을 사용하기 어려울 수 있으니
> (㉡   ).
> 그럼 현장에서 뵙겠습니다.

㉠ ____

㉡ ____

단어

- **템플스테이**(temple stay / 寺院住宿 / sinh hoạt tại chùa): 사찰에 머물면서 사찰의 일상생활을 직접 겪으며 불교의 전통문화와 수행 정신을 체험하는 일.
- **우비**(雨衣 / đồ che mưa): 비를 맞지 않기 위해 사용하는 옷이나 물건.
- **다인실**(多人间 / phòng nhiều người ở chung): 숙박업소나 병원 따위에서, 동시에 여러 사람이 이용할 수 있는 방.
- **배정**(安排 / sự ấn định): 권리, 의무, 이익 등을 알맞게 나누어 정하여 줌.
- **임의**(随意 / ngẫu nhiên): 일정한 규칙이나 기준 없이 하고 싶은 대로 함.

3. 다음 글의 ㉠과 ㉡에 알맞은 말을 각각 쓰시오. (각 5점)

보미 씨, 잘 지내고 있지요?
지난 달에 귀한 연습 자료를 (㉠   ) 정말 감사합니다.
보미 씨의 자료 덕분에 무사히 종합시험을 잘 마칠 수 있었습니다.
오늘 자료를 돌려드리기 위해 연구실에 찾아갔는데, 보미 씨가 안 계셔서
옆에 계신 조교분께 (㉡   ).
연구실에 돌아오신 후 맡겨 둔 자료를 찾아주시면 감사하겠습니다.
그럼 좋은 하루 되세요.

㉠ ____

㉡ ____

4. 다음 글의 ㉠과 ㉡에 알맞은 말을 각각 쓰시오. (각 5점)

Q & A   의닫X

제목 : 은행 계좌를 개설하고 싶습니다.

안녕하세요. 이번 학기에 입학한 유학생인데 은행 계좌를 개설하고 싶습니다.
친구에게 물어보니 부모님께서 본국에서 보내주시는 생활비를 받으려고 하면 한국에서 은행 계좌가 (㉠   ).
은행 계좌를 만들려면 어떻게 (㉡   )?
은행 계좌를 개설하는 방법을 안내해 주시면 감사하겠습니다.

㉠ ____

㉡ ____

5. 다음 글의 ㉠과 ㉡에 알맞은 말을 각각 쓰시오. (각 5점)

외국인 졸업 축하 환송회

안녕하세요. 유학생 대표 한가희입니다.

이번 학기에 졸업한 외국인 유학생 여러분을 졸업 축하 환송회에 초대합니다. 바쁘시더라도 많이 (㉠   ).

그리고 이번에 국내기업에 취업한 외국인 졸업생들이 자리를 함께하여, 한국 유학생으로 취업 경험을 공유할 수 있는 시간을 가질 계획입니다.

환송회에서 취업 경험을 (㉡   ) 분이 계시면 미리 연락해 주시기 바랍니다.

환송회에 참석하신 분들께는 기념품도 전달해 드릴 예정이니, 환송회 종료 후 입구에서 꼭 받아 가시기 바랍니다.

감사합니다.

㉠ ____

㉡ ____

🖋 셀프 노트

단어

- **환송회**(欢送会 / tiệc chia tay) : 떠나는 사람을 기쁜 마음으로 보내기 위해 갖는 모임.
- **공유**(共有 / chia sẻ, cùng sở hữu) : 두 사람 이상이 어떤 것을 함께 가지고 있음.
- **종료**(结束 / kết thúc, hoàn thành) : 어떤 행동이나 일이 끝남. 또는 행동이나 일을 끝마침.

2 설명문 4단계로 완성하기

52번 문제는 51번 문제와 마찬가지로, 4단계를 통해 체계적인 전략을 세워 연습해 봅시다.

기출문제 2024년 96회 TOPIK II 52번

다음 글의 ㉠과 ㉡에 알맞은 말을 각각 쓰시오. (각 5점)

> 개구리가 겨울에 추위를 피해 겨울잠을 잔다는 것은 잘 알려져 있다. 그런데 개구리가 꼭 겨울에만 긴 잠을 (㉠   ). 더운 지역에 사는 개구리는 기온이 매우 높은 기간에 긴 잠을 자기도 한다. 왜냐하면 개구리는 사람과 달리 체내에서 체온 조절을 (㉡   ). 개구리처럼 체온 조절을 못 하는 동물에게는 추위뿐만 아니라 더위도 생존에 위협이 되는 것이다.

1 글의 목적 확인하기

설명문은 객관적인 정보를 서술형으로 전달하는 글로, 실용문과 달리 특정한 종류와 대상이 없습니다. 그러므로 52번 문제를 풀 때 가장 먼저 해야 하는 것은 글 전체를 훑어보고 글의 목적을 확인하는 것입니다. 글의 목적을 정확히 파악하면, 빈칸에 들어가는 답을 보다 쉽게 추측할 수 있습니다.

연습1 96회 기출문제를 보면서 글의 목적을 확인해 봅시다.

글의 목적	글의 목적을 쓰시오.
TIP	글의 내용을 읽어 보면, 글쓴이는 '개구리가 겨울뿐만 아니라 더운 여름에도 잠을 자는 이유'를 설명하고자 하는 것을 알 수 있습니다.

• 체내(体内 / bên trong cơ thể) : 몸의 내부.

2 연결 표현 확인하기

앞뒤 문장에 제시된 '그리고, 그래서, 하지만'과 같은 접속사나 '이렇게, 이처럼'과 같은 지시어, 그리고 '-기 때문에'와 같은 문법 표현은 글의 전개 방식과 문장의 의미 관계를 이해하는 데 핵심적인 단서가 될 수 있습니다. 이러한 요소를 잘 파악하면, 빈칸에 들어갈 내용을 자연스럽게 추론하고 완성할 수 있습니다. 아래에서는 이러한 연결 표현에 따른 다양한 전개 방식을 살펴보겠습니다.

연결 표현	전개 방식
그런데, 그런데도, 그러나, 그렇지만, (이와) 반대로, 하지만, 반면에, 오히려	대조
그래서, 그러므로, 따라서, 이로 인해	원인, 결과
왜냐하면/그 이유는/그래야 -기 때문이다, -기 때문이다	이유 설명
이렇게, 이처럼, -도 마찬가지이다	유추
만일, 만약, 그러면	가정
-기도 하다, 하나는/다른 하나는, 뿐만 아니라, 그리고, 또한, 게다가, 첫째/둘째/셋째, 먼저(우선)/다음으로	나열
즉, 요약하면, 곧, 다시 말하면	환언

그러나 52번 문제에는 항상 연결 표현이 나오는 것이 아닙니다. 연결 표현이 없는 경우 글의 내용을 통해 논리적인 흐름을 파악한 뒤, 답안을 작성해야 합니다.

연습 2	96회 기출문제를 보면서 연결 표현을 확인해 봅시다.
㉠	앞뒤 연결 표현을 찾아 쓰시오.
㉡	앞뒤 연결 표현을 찾아 쓰시오.
TIP	㉠ 앞에 '그런데'라는 접속사를 확인할 수 있습니다. 이 접속사는 앞 문장과 반대하는 의미를 나타낼 때 사용되므로, 빈칸에는 앞 문장의 내용을 부정하거나 대조하는 표현이 들어가야 하는 것을 알 수 있습니다. ㉡ 앞에 '왜냐하면'이라는 접속사가 제시됩니다. 이 접속사는 앞 문장에 담긴 내용에 대한 이유를 설명할 때 사용되므로, 빈칸에 이유를 나타내는 표현이 들어가야 하는 것을 알 수 있습니다.

3 앞뒤 내용에 어울리는 어휘·문법 생각하기

　연결 표현의 의미를 확인한 뒤에는 빈칸에 들어갈 내용이 앞뒤 문장과 어떻게 자연스럽게 연결될 수 있는지 생각해야 합니다. 51번 문제와 마찬가지로, 52번 문제에서도 작성해야 할 내용은 앞뒤 내용과 긴밀한 관련이 있으며, 답안 작성에 필요한 단어나 문법은 대부분 주변 문장에 이미 제시되어 있습니다.

　또한 설명문은 객관적으로 정보를 전달하기 위해 사용되는 서술문으로, 공손한 표현보다 '-(ㄴ/는)다'와 같은 기본 서술체가 주로 사용됩니다.

연습 3	96회 기출문제를 보면서 앞뒤 내용에 어울리는 어휘·문법을 생각해 봅시다.
㉠	㉠에 알맞은 말을 쓰시오.
㉡	㉡에 알맞은 말을 쓰시오.
TIP	㉠ 앞에서 부정의 의미를 나타나는 표현이 필요하다는 것을 확인하였습니다. 따라서 문맥상 앞 문장에 있는 '자다'라는 단어와 '-ㄴ/는 것이 아니다'라는 문법을 함께 사용하여 문장을 완성할 수 있습니다. ㉡ 앞에서 확인되는 '왜냐하면'이라는 접속사와 호응하는 문법은 바로 '-기 때문이다'입니다. 또한 뒤 문장에 '개구리처럼 체온 조절을 못하다'라는 말이 있으므로, '못하다'나 '하지 못하다'라는 단어와 '-기 때문이다'라는 문법을 사용하면 문장을 완성할 수 있습니다.
모범 답안	㉠ 자는 것은 아니다 ㉡ 못하기 때문이다/하지 못하기 때문이다

4 오류 점검하기

마지막으로 작성한 답안이 앞뒤 문장의 문맥에 자연스럽게 이어지는지 다시 확인합니다. 뿐만 아니라 맞춤법과 조사도 틀린 부분이 있는지 다시 점검하는 것이 좋습니다.

연습 4	96회 기출문제를 보면서 오류를 점검해 봅시다.
오류 여부 확인	[연습 3]에서 오류가 있었다면 다시 고쳐 쓰시오.
TIP	㉠에서 선택한 단어와 '–ㄴ/는 것이 아니다'를 글 전체에 자연스럽게 어울리도록 작성했습니다. 그리고 ㉡에서 선택한 단어와 '–기 때문이다'도 글 전체에 자연스럽게 어울리도록 작성했습니다. 마지막으로 맞춤법과 조사에 틀린 부분이 있는지 다시 살펴봅니다.

기출 분석 문법과 표현

시험에서 최근 나왔던 설명문의 문법과 표현을 미리 공부해 두는 것이 좋습니다.

구분	문법과 표현
의무	–지 않으면 되지 않는다
이유 설명	–기 때문이다
나열	–기도 한다
조건+가능성	–아/어도 ～ –지 못한다, –아/어야 ～ –(으)ㄹ 수 있다
조건+의지	–아/어도 ～ –지 않는다
조건	–(으)면
조언	–는 것이 좋다
의무	–아/어야 한다
간접 화법	–다/자/냐/라고 한다
목적	–도록 한다
사동	–게 한다
부정	–ㄴ/는 것이 아니라, –ㄴ/는 것이 아니다

시험에서 나올 수 있는 초·중급 문법도 추가로 연습하는 것이 좋습니다.

구분	문법과 표현
인지	–(으)ㄴ/는/(으)ㄹ지 안다/모른다
목적	–기 위해(서)

연습 문제

단어

- **붕괴**(崩坏 / đổ vỡ): 무너 지고 깨어짐.
- **자재**(材料 / vật liệu): 어떤 것을 만들 때 필요한 기본적 인 물건이나 재료.
- **자체**(本身 / tự mình, tự thân): 다른 것이 아닌 바 로 그것.
- **저항력**(抵抗力 / lực cản): 운동체의 운동을 방해하는 힘.
- **강화되다**(强化 / được tăng cường): 세력이나 힘이 더 강해지다.
- **구조물**(构筑物 / kết cấu, cấu trúc xây dựng): 건물, 다리, 터널 등과 같이 설계 에 따라 체계적으로 만든 큰 물건.
- **손상**(损害 / tổn hại): 물체 가 깨지거나 상함.

1. 다음 글의 ㉠과 ㉡에 알맞은 말을 각각 쓰시오. (각 5점)

> 지진이 발생하면 건물이 흔들리거나 무너질 수 있다. 특히 건물이 높을수록 흔들림이 더 심하고 쉽게 붕괴될 위험이 있다. 그래서 지진이 자주 발생하는 나라에서 건물을 지을 때 지진에 강한 (㉠   ). 그런데 전문가들은 지진에 강한 구조로 만들 뿐만 아니라 지진에 강한 (㉡   ). 지진에 튼튼한 자재를 사용해야 건물 자체의 진동에 대한 저항력이 강화되고, 건물과 내부 구조물의 손상을 줄일 수 있기 때문이다.

㉠ ______________________________

㉡ ______________________________

단어

- **환절기**(换季期 / giai đoạn giao mùa): 계절이 바뀌는 시기.
- **면역력**(免疫力 / khả năng miễn dịch): 몸 밖에서 들 어온 병균을 이겨 내는 힘.
- **급격하다**(急剧 / nhanh chóng, đột ngột): 변화의 속도가 매우 빠르다.
- **소모하다**(消耗 / tiêu hao): 써서 없애다.
- **세포**(细胞 / tế bào): 생물 체를 이루는 기본 단위.
- **영양분**(营养成分 / thành phần dinh dưỡng): 영양 이 되는 성분.

2. 다음 글의 ㉠과 ㉡에 알맞은 말을 각각 쓰시오. (각 5점)

> 환절기에 일교차가 커서 면역력이 평소보다 약해지기 쉽다. 이 시기에 급격한 온도 변화와 건조한 환경에 적응하기 위해 우리 몸은 많은 에너지를 소모하게 된다. 이로 인해 면역 세포에 전달되는 에너지가 부족해지면서 면역 시스템도 (㉠   ). 따라서 환절기에 건강하게 지내려면 면역력을 높여주는 영양분을 충분히 보충해야 한다. 영양분을 충분히 (㉡   ) 감기에 걸리거나 쉽게 피로해질 수 있다.

㉠ ______________________________

㉡ ______________________________

3. 다음 글의 ㉠과 ㉡에 알맞은 말을 각각 쓰시오. (각 5점)

> 우리는 밤하늘에서 밝게 빛나는 달을 볼 수 있다. 달은 스스로 빛을 내는 광원이 아니지만 태양빛을 반사하여 그 빛이 지구에 도달하기 때문이다. 만약 태양빛이 달에 비춰지지 않는다면 우리는 달을 전혀 (㉠). 또한 달은 다른 행성보다 지구와 훨씬 (㉡). 이렇게 가까운 거리 덕분에 우리는 달을 밤하늘에서 가장 크고 선명하게 볼 수 있으며, 달의 표면까지 자세히 관찰할 수도 있다.

㉠ ____

㉡ ____

단어
- **광원**(光源 / nguồn sáng): 해, 별, 지구처럼 스스로 빛을 내는 물체.
- **반사하다**(反射 / phản xạ): 지구 중력의 방향과 직각을 이루는 방향.
- **도달하다**(到达 / đạt đến): 목적한 곳이나 수준에 다다르다.
- **행성**(行星 / hành tinh): 중심 별이 강하게 끌어당기는 힘 때문에 타원형의 궤도를 그리며 중심 별의 주위를 도는 천체.
- **선명하다**(鮮明 / rõ nét): 뚜렷하고 분명하다.

4. 다음 글의 ㉠과 ㉡에 알맞은 말을 각각 쓰시오. (각 5점)

> 최근 많은 기업들이 사람 대신 인공지능을 단순하고 반복적인 업무에 활용하고 있다. 이렇게 인공지능을 도입하는 목적은 사람의 오류를 줄이고, 직원들이 더 높은 수준의 업무에 (㉠) 것이다. 직원들이 핵심 업무에 집중하게 되면 업무의 질이 향상되고, 이는 기업의 경쟁력 강화로 이어진다. 즉, 인공지능은 단순히 사람의 일을 (㉡) 새로운 가치를 창출하는 도구이며, 기업은 이를 통해 지속적인 성장을 추구할 수 있는 것이다.

㉠ ____

㉡ ____

단어
- **인공지능**(人工智能 / trí tuệ nhân tạo): 인간의 지능이 가지는 학습, 추리, 적응, 논증 따위의 기능을 갖춘 컴퓨터 시스템.
- **오류**(失误 / lỗi, sai sót): 잘못이나 실수.
- **창출하다**(创造 / sáng tạo): 전에 없던 것을 처음으로 생각하여 지어내거나 만들어 내다.
- **지속적**(持续的 / liên tục, lâu dài): 어떤 일이나 상태가 오래 계속되는 것.
- **추구하다**(追求 / theo đuổi): 목적을 이룰 때까지 뒤쫓아 구하다.

단어

• **발판**(基础 / bàn đạp) : 다른 곳으로 진출하기 위하여 이용하는 수단을 비유적으로 이르는 말

5. 다음 글의 ㉠과 ㉡에 알맞은 말을 각각 쓰시오. (각 5점)

> 실패를 대하는 사람들의 태도는 크게 두 가지로 나눌 수 있다. 하나는 실패를 부정적으로 받아들여 새로운 도전을 두려워하는 것이다. 다른 하나는 실패를 성장의 발판으로 삼아 그 경험에서 교훈을 얻으며 (㉠   ). 실패를 두려워하는 사람은 같은 자리에 머무르게 되지만, 실패를 배움으로 여기고 다시 시작하는 사람은 계속 성장할 수 있다. 결국 실패를 대하는 태도에 따라 (㉡   ).

㉠ ____

㉡ ____

✎ **셀프 노트**

3 삼단 구조로 글을 작성하기

1 삼단 구조로 글을 작성하기

53번 문제는 '도입－전개－마무리'의 삼단 구조를 기본적으로 갖추어 내용을 구성할 수 있습니다.

기출문제 2015년 36회 TOPIK II 53번

최근 한국 사회에서는 1인 가구가 계속 증가하고 있습니다. 다음 자료를 참고하여 1인 가구 증가의 원인과 현황을 설명하는 글을 200~300자로 쓰십시오. (30점)

1인 가구 증가의 원인
1 결혼관의 변화와 독신의 증가
2 노인 인구 증가
3 여성의 사회 진출 증가

1인 가구의 현황
● 2000년 전체 가구 수의 16%
⬇
● 2012년 전체 가구 수의 26%

모범 답안

최근 한국 사회에서는 1인 가구가 계속 증가하고 있다. (도입)

2000년 전체 가구 수의 16%에 불과했던 1인 가구는 꾸준히 증가하여 2012년 (전개)
에는 26%에 도달했다. 12년 사이에 10%가 증가한 것이다. 이러한 증가의 원인
은 다음과 같다. 첫째, 결혼관의 변화로 인한 독신자 수의 증가이다. 둘째, 노인
인구가 증가하면서 1인 가구도 증가하게 되었다. 셋째, 여성의 사회 진출도 1인
가구가 증가하는 데 영향을 주었다.

이러한 원인으로 1인 가구 수는 앞으로도 지속적으로 증가할 전망이다. (마무리)

"최근 한국 사회에서는 1인 가구가 계속 증가하고 있다."

'도입'은 주제, 배경, 현상에 대해 포괄적으로 묘사하는 문구를 담아야 합니다. 이 부분에서는 문제의 전반적인 배경이나 상황을 간략하게 소개하고, 글의 주제를 간단히 언급하는 것이 중요합니다. '도입'은 보통 한 문장으로 간단하게 시작되며, 독자가 글의 방향성을 알 수 있도록 합니다.

단어
- 가구(家庭 / hộ gia đình): 한 집에서 함께 사는 사람들의 집단.
- 현황(现状 / hiện trạng): 현재의 상황.
- 결혼관(结婚观 / quan niệm về kết hôn): 결혼에 대한 견해나 주장.
- 독신(单身 / việc độc thân): 배우자가 없는 사람.

단어
- 불과하다(不过 / bất quá, không quá): 어떤 수량/수준에 지나지 않은 상태이다.
- 도달하다(达到 / đạt đến): 목적한 곳이나 일정한 수준에 다다르다.
- 독신자(单身 / người độc thân): 배우자가 없이 혼자 사는 사람.

> "2000년 전체 가구 수의 16%에 불과했던 1인 가구는 꾸준히 증가하여 2012년에는 26%에 도달했다. 12년 사이에 10%가 증가한 것이다. 이러한 증가의 원인은 다음과 같다. 첫째, 결혼관의 변화로 인한 독신자 수의 증가이다. 둘째, 노인 인구가 증가하면서 1인 가구도 증가하게 되었다. 셋째, 여성의 사회 진출도 1인 가구가 증가하는 데 영향을 주었다."

'전개'는 문제 유형에 따라 순위 나열, 비교, 대조, 원인 분석, 수치 변화 등 다양한 방식으로 이루어질 수 있습니다. 이 부분에서는 주어진 자료를 정확하게 해석하고, 논리적인 흐름을 따라 전개하는 것이 중요합니다. '전개'는 보통 3~5문장으로 구성되며, 독자가 제공된 정보를 쉽게 이해할 수 있도록 해야 합니다.

> "이러한 원인으로 1인 가구 수는 앞으로도 지속적으로 증가할 전망이다."

'마무리'는 결론과 전망을 다루는 부분입니다. 이 부분에서는 글의 핵심을 요약하고, 주제에 대한 결론을 내며, 향후의 전망이나 제언을 제시할 수 있습니다. '마무리'는 보통 한 문장으로 작성됩니다.

이처럼 53번 문제에서는 글의 기본 구조를 이해하고 쓰는 것이 중요합니다. 글을 어떻게 시작하고 무엇을 중심으로 써야 할지 잘 모르겠다면, 삼단 구조가 도움이 될 수 있습니다. 하지만 최근 시험에서는 삼단 구조를 그대로 따르는 것보다 그래프나 표에 나온 정보를 얼마나 정확하고 알기 쉽게 설명하는지가 더 중요하게 평가되는 것 같습니다. 그래서 삼단 구조 설명은 그대로 두되, 형식에 너무 신경 쓰기보다 제시된 내용을 정확하게 읽고 핵심을 분명하게 쓰는 것이 더 중요합니다.

2 그래프에 순서를 메모해 두기

문제가 어떤 유형인지 정확히 파악한 후, 핵심 정보를 찾고 글의 흐름을 정리하는 순서를 빠르게 메모해 두어야 합니다.

기출문제

2018년 60회 TOPIK II 53번

다음을 참고하여 '인주시의 자전거 이용자 변화'에 대한 글을 200~300자로 쓰시오. 단, 글의 제목을 쓰지 마시오. (30점)

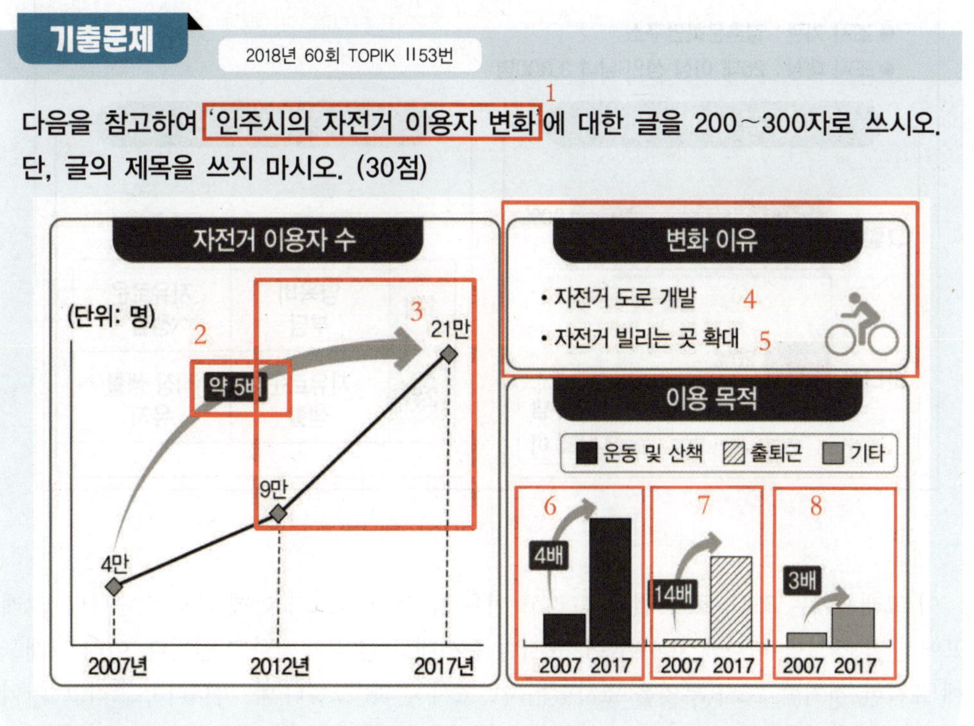

60회 기출문제 그래프는 변화, 변화 이유, 이용 목적 등 여러 정보가 함께 제시되어 있습니다. 따라서 글을 쓰기 전에 그래프에서 어떤 내용을, 어떤 순서로 쓸지 간단히 정리해서 표시하는 것이 중요합니다. 위 그래프에서 표시한 것처럼, 인주시의 자전거 이용자수 변화의 전체 흐름(계속 증가), 증가한 수치(5배), 급격히 증가한 시기(2012년~2017년), 변화 이유 두 가지와 이용 목적 세 가지의 변화를 순서대로 정리해서 쓰면 됩니다.

모범 답안

① 인주시의 자전거 이용자 변화를 살펴보면, 자전거 이용자 수는 2007년 4만 명에서 2012년에는 9만 명, 2017년에는 21만 명으로, 지난 ② 10년간 약 5배 증가하였다. ③ 특히 2012년부터 2017년까지 자전거 이용자 수가 급증한 것으로 나타났다. ④ 이와 같이 자전거 이용자 수가 증가한 이유는 자전거 도로가 개발되고 ⑤ 자전거 빌리는 곳이 확대되었기 때문인 것으로 보인다. 자전거 이용 목적을 보면, ⑥ 10년간 운동 및 산책은 4배, ⑦ 출퇴근은 14배, ⑧ 기타는 3배 늘어난 것으로 나타났으며, 출퇴근 시 이용이 가장 높은 증가율을 보였다.

(도입)
(전개)

단어

· 급증하다(劇增 / tăng nhanh): 짧은 기간 안에 갑자기 늘어나다.

· 개발되다(被开发 / được mở mang, phát triển) : 토지나 천연자원 등이 이용되기 쉽거나 쓸모 있게 만들어지다.

· 확대되다(扩大 / được mở rộng, khuếch đại) : 넓혀져서 커지다.

2017년 52회 TOPIK II 53번

다음을 참고하여 '아이를 꼭 낳아야 하는가'에 대한 글을 200~300자로 쓰시오. 단, 글의 제목을 쓰지 마시오. (30점)

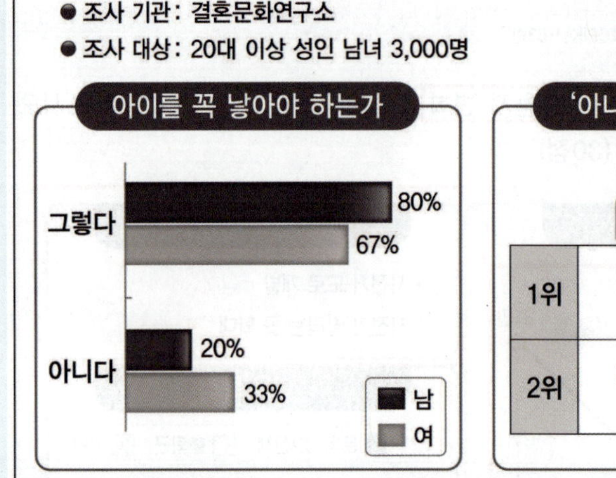

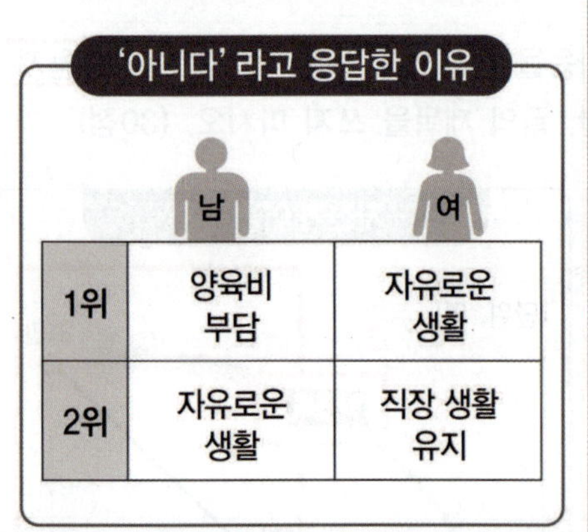

이 그래프에는 조사, 조사 결과, 그리고 이유 등 여러 정보가 함께 나와 있습니다. 그래프에서 각 정보를 하나씩 표시한 뒤, 표시한 순서대로 글을 구성하면 됩니다. 아래 그래프에 표시한 것처럼, 조사(무엇을 조사했는지), 조사 결과('그렇다'와 '아니다'), 그리고 '아니다'라고 응답한 이유(남자, 여자) 순서대로 글을 작성하면 됩니다.

- 응답하다(回答 / ứng đáp): 부름이나 물음에 답하다.
- 양육비(抚养费 / chi phí nuôi dưỡng): 아이를 기르는 데 드는 돈.

다음을 참고하여 '아이를 꼭 낳아야 하는가'에 대한 글을 200~300자로 쓰시오. 단, 글의 제목을 쓰지 마시오. (30점)

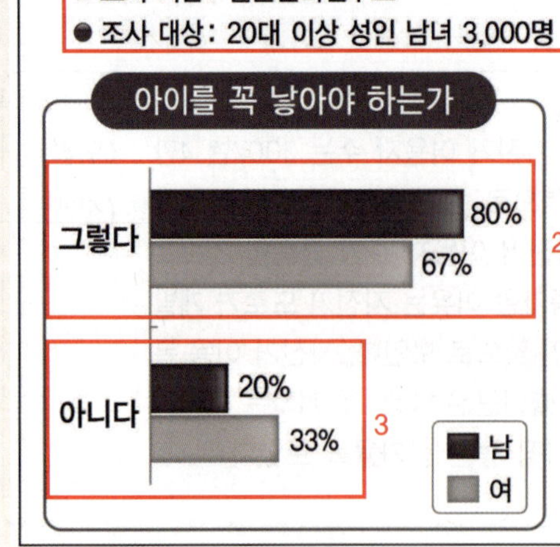

모범 답안

① 결혼문화연구소에서 20대 이상 성인 남녀 3,000명을 대상으로 '아이를 꼭 낳   (도입)
아야 하는가'에 대해 조사하였다.

② 그 결과 '그렇다'라고 응답한 남자는 80%, 여자는 67%였고, ③ '아니다'라고   (전개)
응답한 남자는 20%, 여자는 33%였다. ④ 이들이 '아니다'라고 응답한 이유에 대
해 남자는 양육비가 부담스러워서, ⑤ 여자는 자유로운 생활을 원해서라고 응답
한 경우가 가장 많았다. ⑥ 이어 남자는 자유로운 생활을 원해서, ⑦ 여자는 직장
생활을 유지하고 싶어서라고 응답하였다.

단어

• 보관되다(保管 / được bảo quản, lưu giữ) : 물건이 맡겨져 간직되다.
• 다량(大量 / số lượng lớn) : 많은 분량.

기출문제 2014년 37회 TOPIK II 53번

다음 그림을 보고 대중매체를 어떻게 나눌 수 있는지 200~300자로 쓰십시오. (30점)

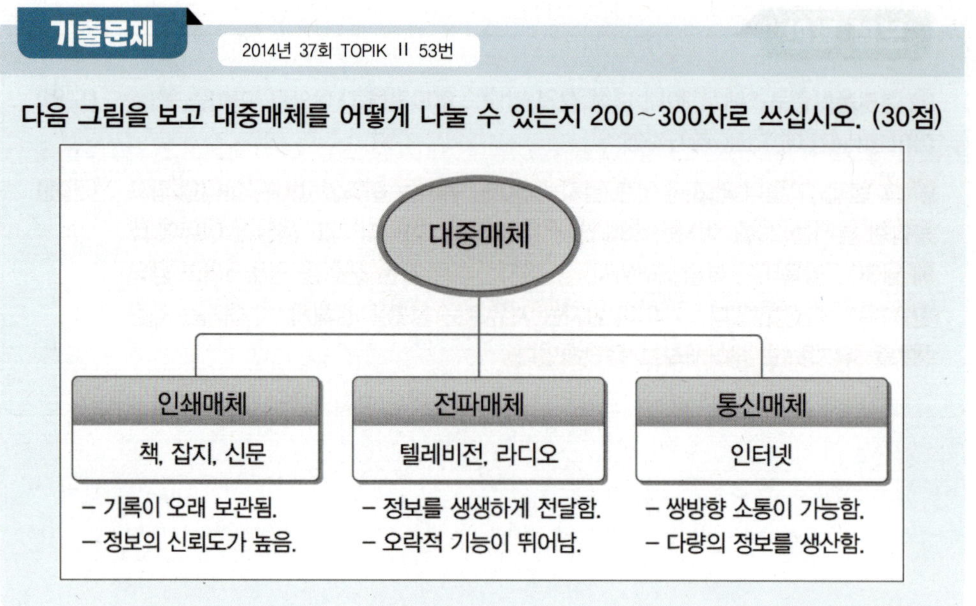

  이 그래프에는 대중매체와 그 하위 세 가지 유형(인쇄매체, 전파매체, 통신매체)에 대한 정보가 나와 있습니다. 각 하위 유형에는 예시와 특징 두 가지가 제시되어 있습니다. 이럴 때는 먼저 대중매체 전체를 소개하고, 이어서 각 하위 유형의 예시와 특징 순서로 글을 구성하면 됩니다.

예시

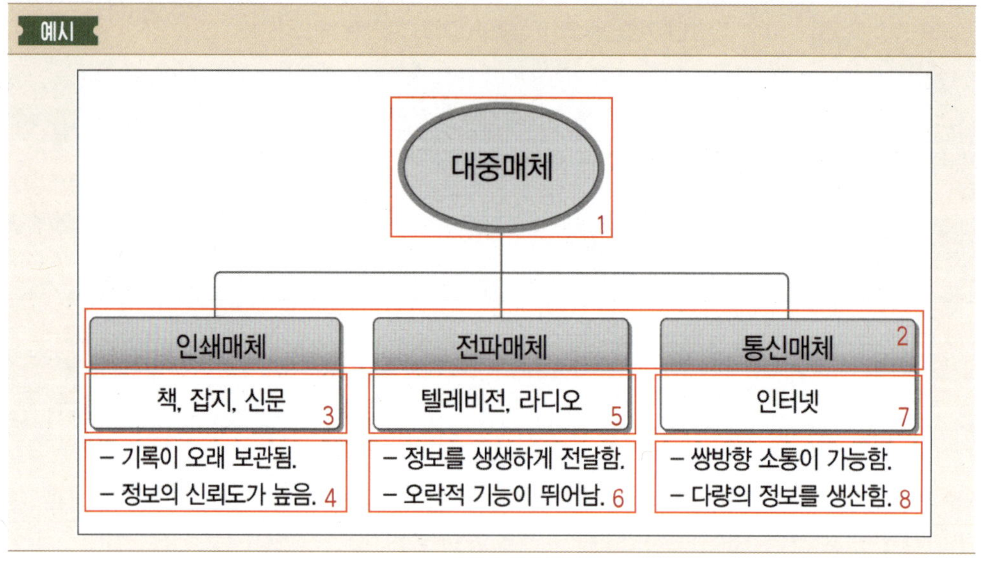

모범 답안

① 대중매체란 많은 사람에게 대량으로 정보와 생각을 전달하는 수단을 말한다. (도입)

② 이러한 대중매체에는 다양한 양식이 있는데, 표현 양식을 기준으로 나누면 크 (전개)
게 인쇄매체, 전파매체, 통신매체이다. ③ 인쇄매체는 책이나 잡지, 신문 등으로
④ 기록이 오래 보관되고 정보의 신뢰도가 높다는 특징이 있다. ⑤ 다음으로 전
파매체가 있는데 텔레비전 라디오 등이 이에 속한다. ⑥ 정보를 생생하게 전달하
고 오락성이 뛰어나다는 특징을 가진다. ⑦ 마지막으로 인터넷과 같은 통신매체
를 들 수 있다. ⑧ 쌍방향 소통이 가능하고 다량의 정보를 생산한다는 특징이
있다.

단어

- **다양하다**(各种各样 / đa dạng):
  색깔, 모양, 종류, 내용 등이
  여러 가지로 많다.
- **전파매체**(传播媒体 /
  phương tiện truyền thông
  phát sóng): 전파를 이용
  하여 시각적, 청각적 기호들
  을 확산하거나 분배하는 역
  할을 하는 매체.
- **신뢰**(信赖 / sự tín nhiệm):
  굳게 믿고 의지함.
- **쌍방향**(双向 / hai chiều):
  한쪽으로만 향하는 것이 아
  니라 양쪽을 서로 향하는 것.
- **소통**(沟通 / giao tiếp, sự
  thông hiểu lẫn nhau): 오
  해가 없도록 뜻이나 생각이
  서로 잘 통함.
- **오락성**(娱乐性 / tính giải
  trí): 즐기며 기분을 즐겁게
  할 수 있는 성질.

4 변화와 원인을 분석하여 제시하기

'변화와 원인을 분석하여 제시하기' 유형은 TOPIK 시험에서 53번 문제로 가장 많이 등장하는 유형입니다. 이 유형은 53번 준비에서 중요한 부분을 차지합니다. 특정 현상의 변화 추세나 현황을 분석하고, 그 원인이나 문제점을 설명한 후, 전망과 해결책을 제시하는 방식입니다. 아래는 '변화와 원인을 분석하여 제시하기' 유형이 등장한 회차들입니다.

'변화와 원인을 분석하여 제시하기' 유형	36회, 47회, 60회, 64회, 83회, 91회, 96회

1 변화 제시하기

'변화와 원인을 분석하여 제시하기' 유형에서 공통적으로 핵심이 되는 요소는 바로 '변화'입니다. 변화는 보통 하나 또는 두 개의 도표로 제시되며, 이때 전반적인 변화와 함께 눈에 띄는 특징이나 특이점도 함께 기술할 수 있습니다.

기출문제   2016년 47회 TOPIK II 53번

다음을 참고하여 '국내 외국인 유학생 현황'에 대한 글을 200~300자로 쓰십시오. 단, 글의 제목을 쓰지 마십시오. (30점)

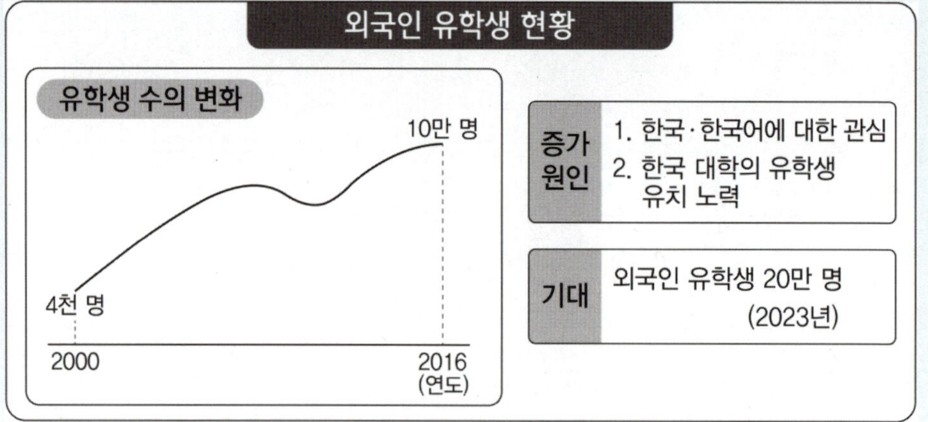

모범 답안

최근 국내에서 유학하는 외국인 유학생이 급증했다. (전반적 변화)
2000년에 4천 명이던 유학생이 가파른 상승세를 보이다 잠시 주춤하더 (특이점)
니 다시 증가세를 보이며 2016년에 이르러 10만 명이 되었다.

위의 모범 답안에서 보듯이 전반적인 변화와 눈에 띄는 특징을 제시할 수 있습니다. 전반적인 변화는 도표에 나타난 내용을 그대로 기술하면 되고, 눈에 띄는 특징을 제시할 때에는 여러 가지 방식이 있습니다.

단어

• 유치(招来 / sự thu hút): 행사나 사업 따위를 이끌어 들임.

단어

• 가파르다(迅速 / tăng cao): 수나 양이 변화하는 속도가 빠르다.
• 상승세(涨势 / xu hướng tăng): 위로 올라가는 기세나 상태.
• 주춤하다(放缓 / chững lại, khựng lại): 행동이나 걸음을 갑자기 멈칫하거나 몸을 움츠리며 주저하다.

여기서 잠깐!

특이점을 설명하는 방식은 다음과 같이 여러 가지가 있습니다.

- 도표에 제시된 숫자/비율 하나하나를 제시합니다.
  - 2012년에 12억 달러 수준에서 2014년 18억, 2016년 41억 달러까지 이른 것으로 나타났다.
  - 2000년에 10%에 불과했던 수출액이 계속 증가하여 2012년에 50%에 도달했다.
- 증가/감소된 전체 숫자/비율을 제시합니다.
  - 10년 사이에 50%가 증가한 것이다/증가한 셈이다.
  - 5년 사이에 약 4배가 증가한 것이다.
- 최고치/최저치 숫자/비율 제시합니다.
  - 특히 2012년에 80%에 이르렀다.
  - 특히 2020년에 전자제품 수출액은 27억 달러에 도달했다.

기출문제

2018년 60회 TOPIK II 53번

다음을 참고하여 '인주시의 자전거 이용자 변화'에 대한 글을 200~300자로 쓰시오. 단, 글의 제목을 쓰지 마시오. (30점)

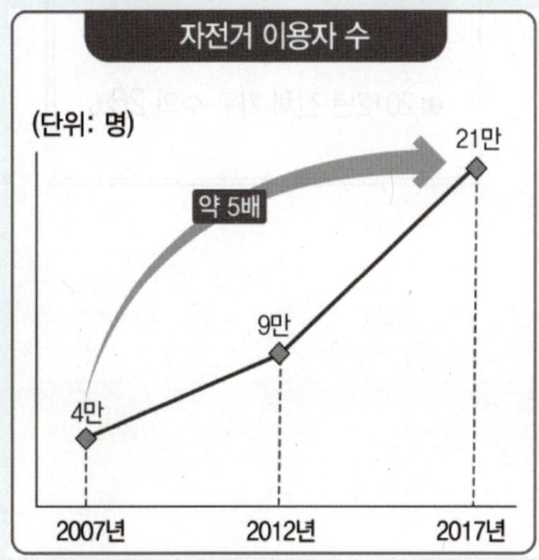

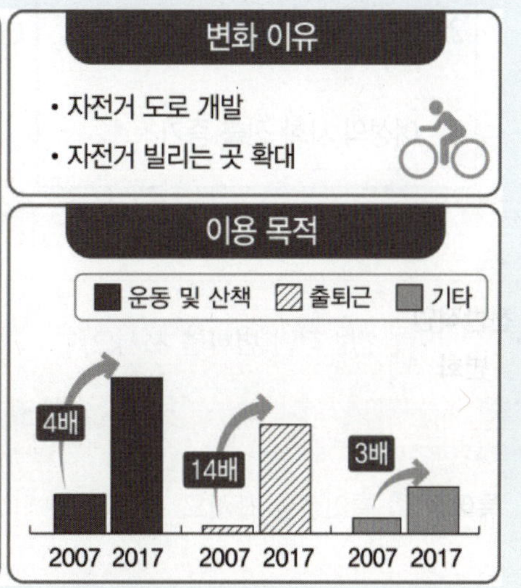

전반적인 변화	전반적인 변화를 쓰시오.
특이점	특이점을 쓰시오.

　이 그래프에서 자전거 이용자 수는 전반적으로 증가 추세를 보입니다. 이와 함께 2007년 4만 명, 2012년 9만 명, 그리고 2017년 21만 명처럼 구체적인 수치를 제시할 수 있으며, 전체 증가 폭이 약 5배에 이른다는 점도 함께 설명할 수 있습니다.

모범 답안

인주시의 자전거 이용자 변화를 살펴보면, 자전거 이용자 수는 2007년   (전반적 변화)
4만 명에서 2012년에는 9만 명, 2017년에는 21만 명으로,
지난 10년 간 약 5배 증가하였다.   (특이점)
특히 2012년부터 2017년까지 자전거 이용자 수가 급증한 것으로 나타났다.   (특이점)

기출문제   2015년 36회 TOPIK II 53번

최근 한국 사회에서는 1인 가구가 계속 증가하고 있습니다. 다음 자료를 참고하여 1인 가구 증가의 원인과 현황을 설명하는 글을 200~300자로 쓰십시오. (30점)

1인 가구 증가의 원인

1 결혼관의 변화와 독신의 증가

2 노인 인구 증가

3 여성의 사회 진출 증가

1인 가구의 현황

● 2000년 전체 가구 수의 16%

● 2012년 전체 가구 수의 26%

전반적인 변화	전반적인 변화를 쓰시오.
특이점	특이점을 쓰시오.

  36회 기출문제는 그래프 대신 문자로 1인 가구의 현황이 제시되어 있습니다. 자료에 따르면 1인 가구는 2000년 전체 가구의 16%에서 2012년 26%로, 전반적으로 증가 추세를 보입니다. 따라서 변화를 설명할 때 먼저 '전반적으로 증가했다'는 흐름을 말하고, 이어서 12년 동안 10% 증가했다는 구체적인 수치를 제시하면 됩니다.

모범 답안

최근 한국 사회에서는 1인 가구가 계속 증가하고 있다.   (전반적 변화)
2000년 전체 가구 수의 16%에 불과했던 1인 가구는 꾸준히 증가하여   (특이점)
2012년에는 26%에 도달했다.
12년 사이에 10%가 증가한 것이다.   (특이점)

여기서 잠깐!

아래는 TOPIK 시험에서 흔히 볼 수 있는 그래프와 증감 표현입니다.

증가	감소
−이/가 증가하다 −을/를 증가시키다	−이/가 감소하다 −을/를 감소시키다
−이/가 오르다/올라가다 −을/를 올리다	−이/가 내리다/떨어지다 −을/를 내리다/떨어뜨리다
−이/가 상승하다 −을/를 상승시키다	−이/가 하락하다 −을/를 하락시키다
−이/가 늘다/늘어나다 −을/를 늘리다	−이/가 줄다/줄어들다 −을/를 줄이다
−이/가 꾸준히 증가하다가 잠시 감소하더니/주춤하더니 다시 늘어나다	−이/가 지속적으로 감소하여 (기간)에 잠시 증가하더니 다시 감소하다
−이/가 (기간)에 최소였다가 다시 증가하다	−이/가 (기간)에 최고였다가 다시 감소하다 −이/가 꾸준히 증가하다가 (기간)에 다시 감소하다

증감 정도	(기간) 동안 (수량)에서 (수량)(으)로 증가했다/감소했다 크게/대폭/큰 폭으로/급격히 증가했다/감소했다 조금/다소/소폭으로 증가했다/감소했다
증감의 지속	(시기) 이후 계속/지속적으로 증가하고/감소하고 있다 (시기) 이후 지속적인 증가를/감소를 보이고 있다

2 원인 설명하기

　53번 기출문제에서는 원인에 대한 설명이 대부분 포함되어 있습니다. 중요한 점은 원인과 결과 사이의 논리적 관계를 정확하게 파악하고 서술하는 것이며, 여러 개의 원인이 제시될 경우, 이를 순서대로 기술하는 것입니다.

기출문제 　　2023년 91회 TOPIK Ⅱ 53번

다음은 '편의점 매출액 변화'에 대한 자료이다. 이 내용을 200～300자의 글로 쓰시오. 단, 글의 제목은 쓰지 마시오. (30점)

● 조사 기관 : 산업경제연구소

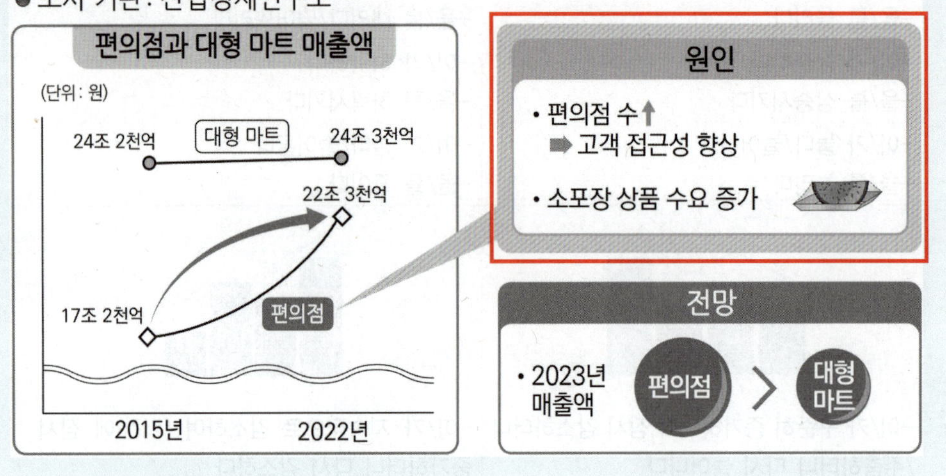

모범 답안

이렇게 편의점 매출액이 크게 증가한 원인은, **첫째**, 편의점 수가 증가하여 고객 접근성이 향상되고, **둘째**, 소포장 상품의 수요가 증가했기 때문이다.

　위의 모범 답안에서 볼 수 있듯이 '편의점 수의 증가 → 고객 접근성 향상'은 서로 연결된 원인 관계이며, 이는 편의점 매출액 증가의 한 이유가 됩니다. 이렇게 서로 이어지는 두 이유는 원인 관련 연결 어미를 사용해 관계를 분명하게 제시할 수 있습니다. 또한 '소포장 상품 수요 증가' 역시 편의점 매출액 증가의 또 다른 이유이지만, 앞에서 제시된 이유들과 직접 연결되어 있지는 않습니다. 이런 경우에는 '먼저－그다음', '첫째－둘째', '한편－다른 한편'과 같은 표현을 활용해 서로 병행되는 이유임을 논리적으로 제시할 수 있습니다.

기출문제 2022년 83회 TOPIK Ⅱ 53번

다음은 '인주시의 가구 수 변화'에 대한 자료이다. 이 내용은 200~300자의 글로 쓰시오. 단, 글의 제목은 쓰지 마시오. (30점)

● 조사 기관: 인주시 사회연구소

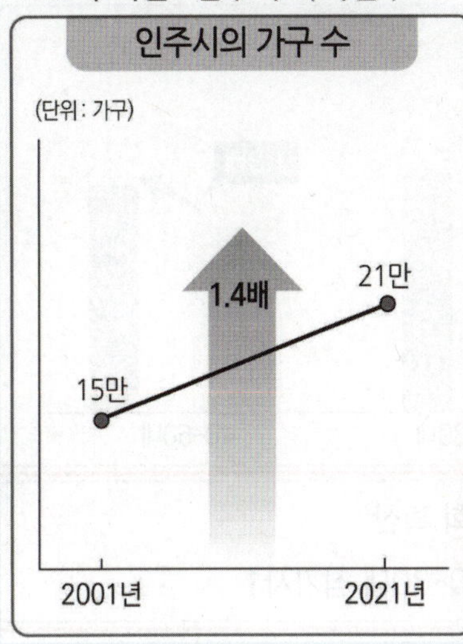

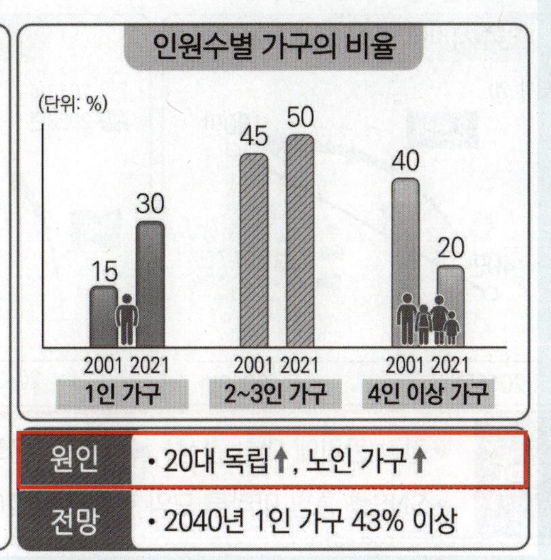

원인	원인을 쓰시오.

83회 기출에서는 두 가지 원인이 제시되어 있습니다. 바로 독립한 20대 가구의 증가와 노인 가구의 증가입니다. 이 두 가지는 서로 직접 연결된 원인이 아니므로, 서로 다른 원인 두 가지를 나란히 제시하면 됩니다. 아래 모범 답안처럼 각각의 원인을 분리해서 설명하는 방식으로 쓰면 자연스럽고 명확합니다.

모범 답안

이러한 변화는 독립한 20대와 노인 가구 증가의 결과로 보인다.

기출문제   2024년 96회 TOPIK II 53번

다음은 '인주시 마라톤 대회 참가자 수의 변화'에 대한 자료이다. 이 내용을 200~300자의 글로 쓰시오. 단, 글의 제목은 쓰지 마시오. (30점)

● 조사 기관: 한국스포츠연구소

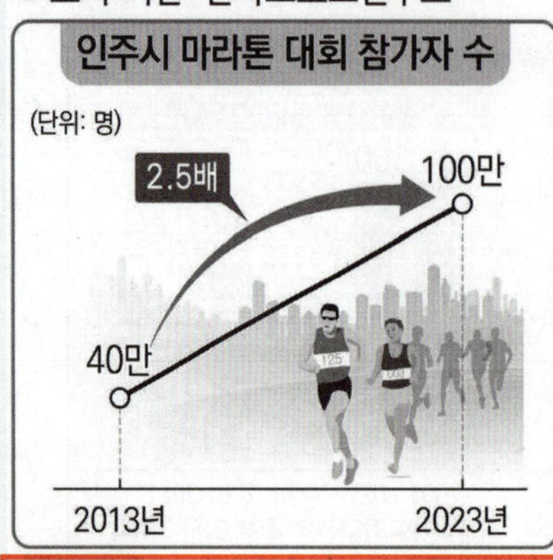

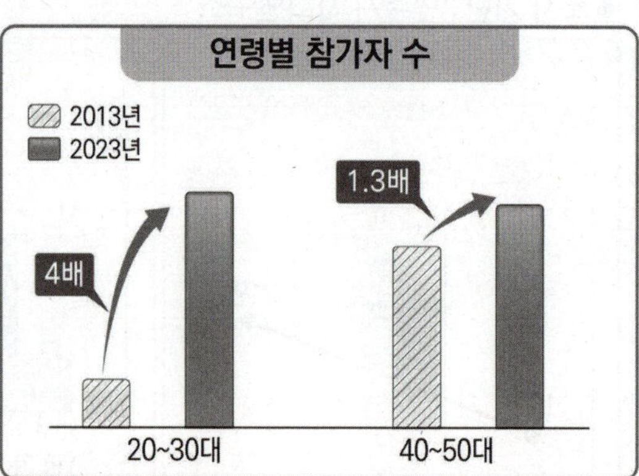

원인	• 건강 관리에 대한 관심↑ ➡ 달리기 문화 확산 • SNS를 통한 마라톤 모임 활성화 ➡ 20~30대 참가자↑

원인	원인을 쓰시오.

    96회 기출에서는 총 두 가지의 큰 원인이 제시되어 있으며, 각 원인 안에 다시 두 가지의 세부 원인이 포함되어 있습니다. 이 경우 앞에서 설명한 것처럼, 연관된 두 하위 원인은 원인 관련 연결 어미를 사용해 자연스럽게 연결할 수 있습니다. 또한 전체 원인을 제시할 때에는 '먼저-그다음'과 같은 순서 표현이나, 아래 모범 답안처럼 '-고'를 사용하여 자연스럽게 나열할 수 있습니다.

모범 답안

이러한 변화의 원인은 건강 관리에 대한 관심이 높아져 달리기 문화가 확산되었고 SNS를 통한 마라톤 모임이 활성화되어 20~30대 참가자가 증가하였기 때문인 것으로 보인다.

여기서 잠깐!

원인 기술	이러한 증가의 이유는/원인은 우선 –을/를 들 수 있다 이러한 증가/감소 현상의 이유는/원인은 다음과 같다
원인 분석	–에서 비롯된 것이다 –이/가 –의 증가에 영향을 미친/준 것으로 보인다 –이/가 증가면서 –도 증가한 것이다 –(으)로 인해 –이/가 증가하게/감소하게 되었다 –의 증가는/감소는 –(으)로 이어졌다 –의 증가는/감소는 –을/를 가져왔다 첫째, –기 때문이다. 둘째, –에도 원인이 있다
나열	첫째 ~ 둘째 ~ 먼저/우선 ~ 그다음으로/그리고/또한 ~ 하나는 ~ 다른 하나는 ~

연습 문제

1. 다음을 참고하여 '영화관 관객 수 변화'에 대한 글을 200~300자로 쓰시오. 단, 글의 제목을 쓰지 마시오. (30점)

<u>※ 책 뒤의 원고지에 연습해 보십시오.</u>

단어

• **사회적 거리두기**(保持社交距离 / Giãn cách xã hội) : 감염병의 지역 사회 감염 확산을 막기 위해 사람들 사이의 거리를 유지하자는 정부의 권고 수칙.

• **출시**(上市 / đưa ra thị trường) : 상품이 시중에 나옴.

셀프 노트

2. 다음을 참고하여 '아파트 매매량 변화'에 대한 글을 200~300자로 쓰시오. 단, 글의 제목을 쓰지 마시오. (30점)

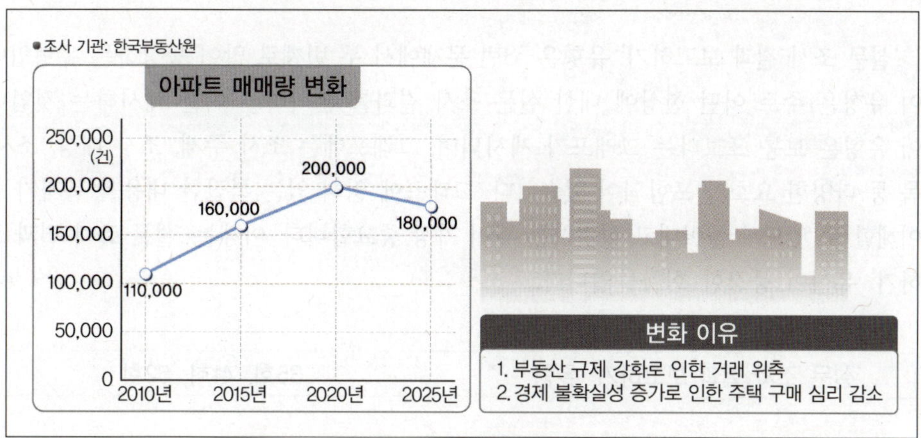

※ **책 뒤의 원고지에 연습해 보십시오.**

5 설문 조사 결과 보고하기

'설문 조사 결과 보고하기' 유형은 53번 문제에서 두 번째로 많이 등장하는 유형입니다. 이 유형은 주로 어떤 현상에 대한 설문 조사 결과를 분석하고 이를 제시하는 것입니다. 이 유형은 보통 표보다는 그래프가 제시되며, 그래프에는 조사 주제, 조사 대상, 조사 항목 등 다양한 요소가 포함되어 있습니다. 그래프에 얽혀 있는 복잡한 내용을 독자가 쉽게 이해할 수 있도록 풀어내고 설명하는 것이 가장 중요합니다. 아래는 '설문 조사 결과 보고하기' 유형이 등장한 회차들입니다.

'설문 조사 결과 보고하기' 유형	35회, 41회, 52회

1 조사 주제, 조사 대상, 조사 항목 구분하기

여러 가지 요소가 얽혀 있는 그래프를 쉽게 설명하려면, 그래프에 포함된 요소들을 먼저 구분하는 것이 도움이 됩니다. 아래 그래프에서 조사 주제, 조사 대상, 조사 항목을 각각 구분하여 표시해 주십시오.

기출문제　　2014년 35회 TOPIK II 53번

다음 그래프를 보고, 연령대에 따라 필요하다고 생각하는 공공시설이 무엇인지 비교하여 그에 대한 자신의 생각을 200~300자로 쓰십시오. (30점)

30대와 60대 성인 남녀 500명을 대상으로 '필요하다고 생각하는 공공시설'에 대해 설문 조사를 하였다.

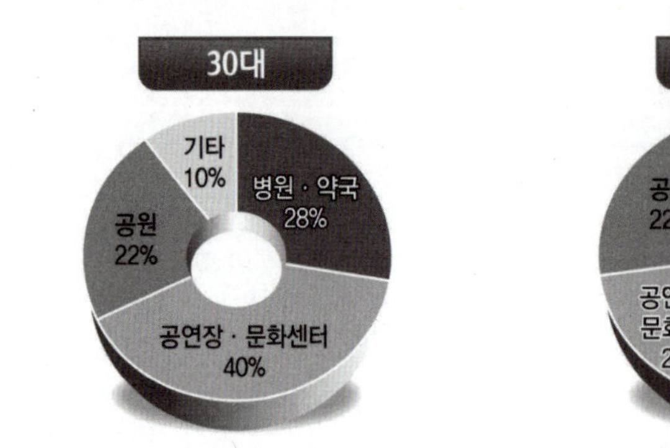

조사 주제	필요하다고 생각하는 공공시설
조사 대상	30대, 60대 성인 남녀 500명
조사 항목	병원 · 약국, 공연장 · 문화센터, 공원, 기타

　설문 조사의 제목에는 항상 조사 주제가 들어 있습니다. 또 조사 대상과 세부 조사 항목은 보통 그래프 안에 제시됩니다.

기출문제

2015년 41회 TOPIK Ⅱ 53번

다음은 '글쓰기 능력을 향상시키는 방법'에 대해 교사와 학생을 대상으로 실시한 설문 조사입니다. 그래프를 보고, 조사 결과를 비교하여 200~300자로 쓰십시오. (30점)

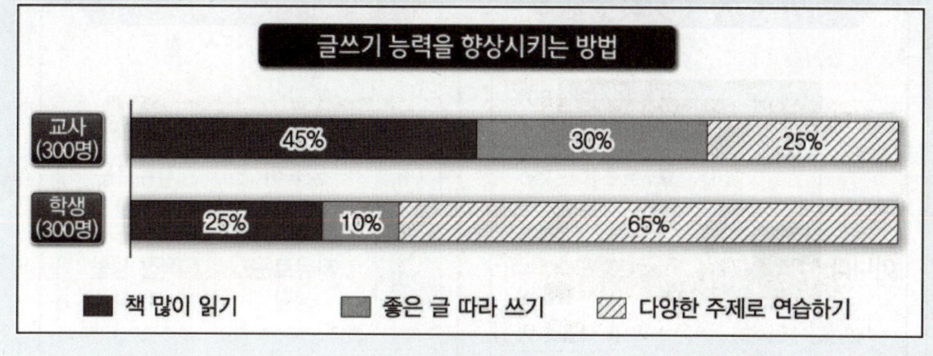

조사 주제	조사 주제를 쓰시오.
조사 대상	조사 대상을 쓰시오.
조사 항목	조사 항목을 쓰시오.

예시

조사 주제	글쓰기 능력을 향상시키는 방법
조사 대상	교사, 학생 각 300명
조사 항목	책 많이 읽기, 좋은 글 따라 쓰기, 다양한 주제로 연습하기

2017년 52회 TOPIK II 53번

다음을 참고하여 '아이를 꼭 낳아야 하는가'에 대한 글을 200~300자로 쓰시오. 단, 글의 제목을 쓰지 마시오. (30점)

- 조사 기관: 결혼문화연구소
- 조사 대상: 20대 이상 성인 남녀 3,000명

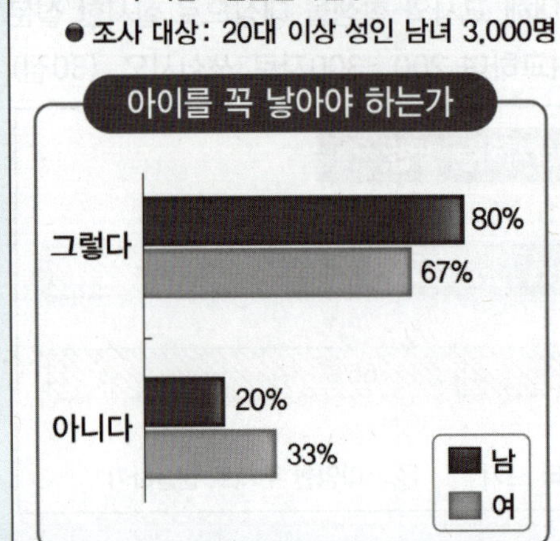

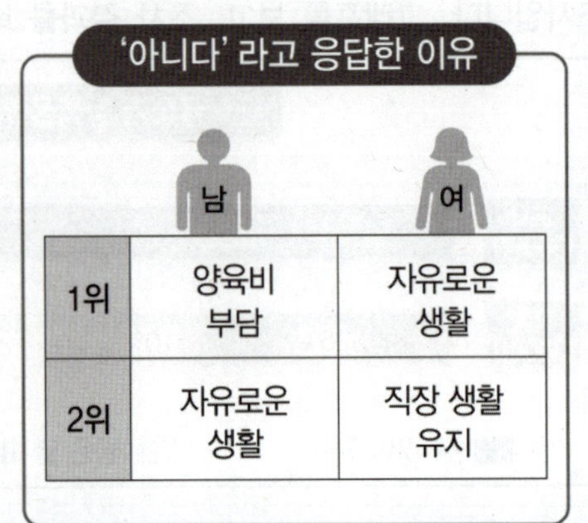

조사 주제	조사 주제를 쓰시오.
조사 대상	조사 대상을 쓰시오.
조사 항목	조사 항목을 쓰시오.

예시

조사 주제	아이를 꼭 낳아야 하는가
조사 대상	20대 이상 성인 남녀 3,000명
조사 항목	그렇다, 아니다

2 조사 결과 제시하기

'설문 조사 결과 보고하기' 유형은 보통 두 집단의 조사 결과를 비교하거나, 같은 집단의 시대별 변화를 비교하는 방식으로 출제됩니다. 독자가 내용을 쉽게 이해할 수 있도록, 그래프에 제시된 정보를 '조사 대상별'로 나누어 설명하는 것이 좋습니다. 그리고 각 조사 대상 안에서는 응답 비율이 높은 항목부터 순서대로 기술할 수 있습니다. 또는 두 연구 대상을 비교할 때는 각 대상에서 비율이 가장 높은 항목을 먼저 서로 비교하여 설명할 수 있습니다. 그다음으로 두 번째로 높은 항목, 세 번째로 높은 항목, 순서로 차례대로 비교하여 기술하는 방식도 가능합니다.

기출문제　2014년 35회 TOPIK II 53번

다음 그래프를 보고, 연령대에 따라 필요하다고 생각하는 공공시설이 무엇인지 비교하여 그에 대한 자신의 생각을 200~300자로 쓰십시오. (30점)

30대와 60대 성인 남녀 500명을 대상으로 '필요하다고 생각하는 공공시설'에 대해 설문 조사를 하였다.

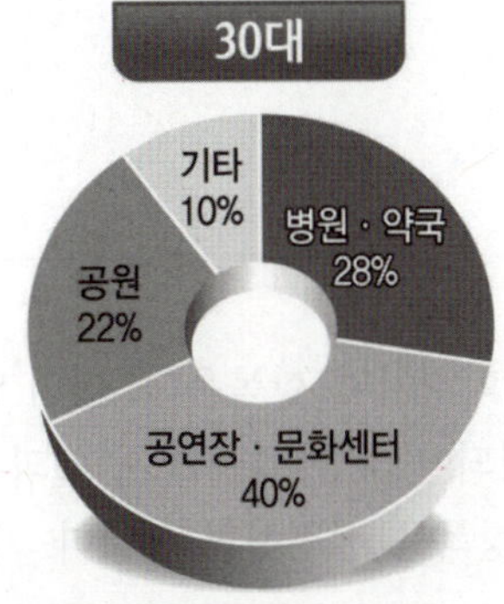

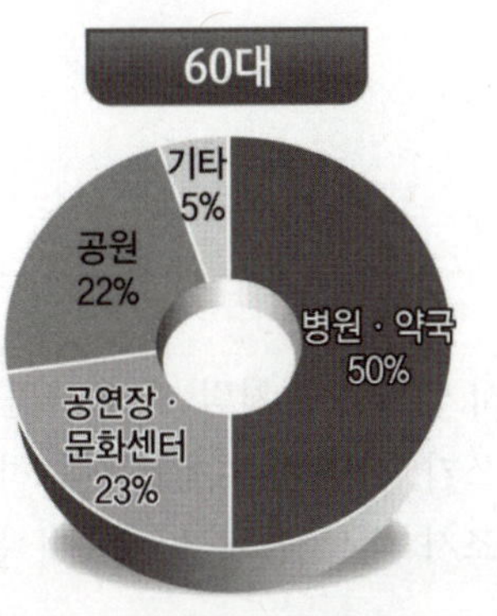

모범 답안

조사 결과 30대의 경우 공연장·문화센터가 40%로 가장 높게 나타났으며 병원·약국이 28%로 그 뒤를 이었다. 반면에 60대는 병원·약국이 전체의 절반 수준인 50%로 가장 높게 나타났으며 공연장·문화센터가 23%로 조사되었다. 공원시설의 필요성에 대한 견해는 30대와 60대가 22%로 동일하게 나타났다.

앞에서 분석한 바와 같이, 35회 기출에서는 연구 참여 대상이 30대 성인 남녀와 60대 성인 남녀 두 집단으로 구분됩니다. 이러한 경우, '-의 경우'를 사용하여 각 집단의 조사 결과를 개별적으로 서술할 수 있습니다. 이때 수치는 높은 것에서 낮은 순서대로 나열하면 이해하기 쉽고, 동일한 수치는 한 문장으로 합쳐서 서술할 수도 있습니다.

단어

• **동일하다**(相同 / giống nhau, tương đồng)：비교해 본 결과 별다른 차이점이 없이 똑같다.

2015년 41회 TOPIK II 53번

다음은 '글쓰기 능력을 향상시키는 방법'에 대해 교사와 학생을 대상으로 실시한 설문 조사입니다. 그래프를 보고, 조사 결과를 비교하여 200~300자로 쓰십시오. (30점)

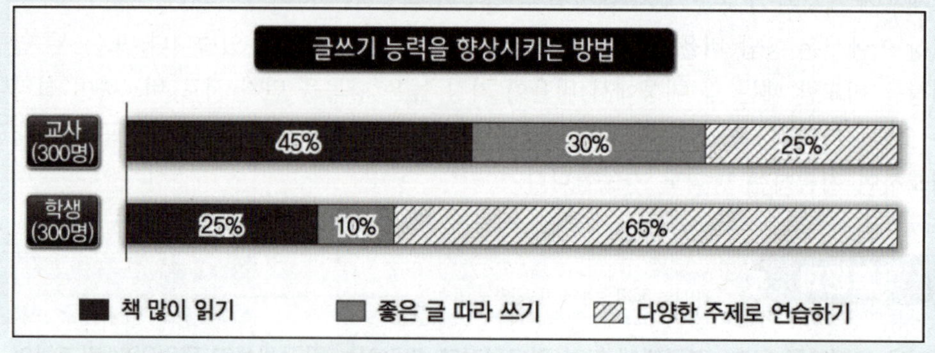

조사 결과	조사 결과를 쓰시오.

❶ 에서 살펴본 것처럼 이 조사의 대상은 교사와 학생이며, 항목은 책 많이 읽기, 좋은 글 따라 쓰기, 다양한 주제로 연습하기 등으로 구성되어 있습니다. 조사 결과를 정리할 때는 각 조사 대상 안에서 비율이 높은 순서대로 항목을 설명하면 됩니다.

교사의 45%가 책을 많이 읽는 것이 글쓰기 능력을 향상시키는 데 중요한 방법이라고 대답하였고, 그다음으로 30%가 좋은 글 따라 쓰기, 마지막으로 25%가 다양한 주제로 연습하는 것이 도움이 된다고 대답하였다. 반면, 65%의 학생들이 다양한 주제로 연습하는 것이 글쓰기 능력을 향상시킨다고 대답하였고, 그다음으로 25%가 책 많이 읽기, 마지막으로 단 10%만이 좋은 글을 따라 쓰는 것이 도움이 된다고 대답하였다.

기출문제   2017년 52회 TOPIK II 53번

다음을 참고하여 '아이를 꼭 낳아야 하는가'에 대한 글을 200~300자로 쓰시오. 단, 글의 제목을 쓰지 마시오. (30점)

● 조사 기관: 결혼문화연구소
● 조사 대상: 20대 이상 성인 남녀 3,000명

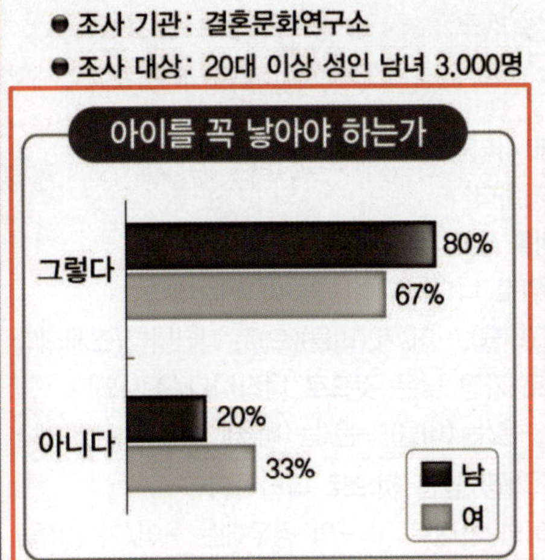

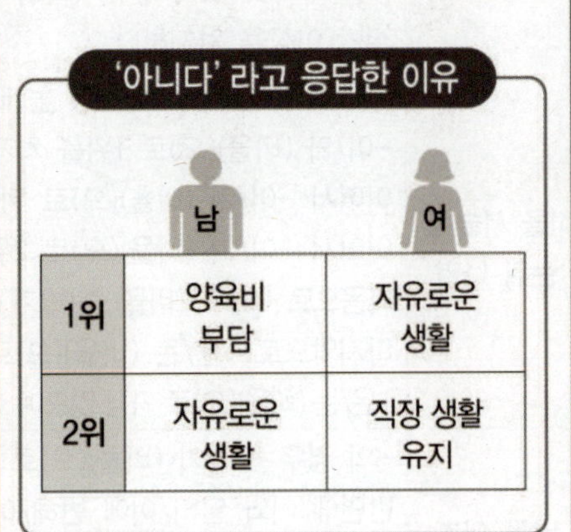

	남	여
1위	양육비 부담	자유로운 생활
2위	자유로운 생활	직장 생활 유지

조사 결과	조사 결과를 쓰시오.

52회의 조사 결과는 비교적 단순합니다. 각 항목에 대해 남자와 여자가 어떻게 응답했는지, 즉 각 집단의 비율을 항목별로 하나씩 제시하면 됩니다.

모범 답안

그 결과 '그렇다'라고 응답한 남자는 80%, 여자는 67%였고, '아니다'라고 응답한 남자는 20%, 여자는 33%였다.

여기서 잠깐!

아래는 비율과 순위 표현입니다.

비율 서술	(비율)에 도달하다 (비율)에 그치다/불과하다 (비율)밖에 되지 않다 (비율)(으)로 조사되다/기록되다 절반 이상을 차지하다
비율 서술 및 순위 나열	-이/가 (비율)(으)로 가장 높게 나타나다 -이/가 (비율)(으)로 1위를 차지하다 이어서 -이/가 (비율)(으)로 뒤를 잇다 이어서 -이/가 (비율)(으)로 2위로 나타나다 다음으로 -이/가 (비율), -이/가 (비율), -이/가 (비율)(으)로 나타나다/조사되다 마지막으로 -은/는 (비율)(으)로 가장 낮은 것으로 나타나다/조사되다 -은/는 (비율)(으)로 가장 많으며, -은/는 (비율), -은/는 (비율)(으)로 그 뒤를 잇다
비율 대조	-의 경우 -이/가 (비율)(으)로 가장 높은 것으로 나타나다 반면에/이와 달리/이에 반해/이와 반대로 ~ -의 경우에는 -이/가 (비율)(으)로 가장 높은 것으로 나타나다 (비율)(으)로 동일하게/비슷하게 나타나다

3 도입과 마무리 추가하기

 '설문 조사 결과 보고하기' 유형도 마찬가지로 '도입-전개-마무리'의 구조를 대부분 따릅니다. 도입 부분에서는 설문 조사에 대한 배경(조사 기관, 조사 대상 등)을 제시할 수 있고, 마무리 부분에서는 설문 결과의 시사점을 제시할 수 있습니다.

기출문제

2017년 52회 TOPIK II 53번

다음을 참고하여 '아이를 꼭 낳아야 하는가'에 대한 글을 200~300자로 쓰시오. 단, 글의 제목을 쓰지 마시오. (30점)

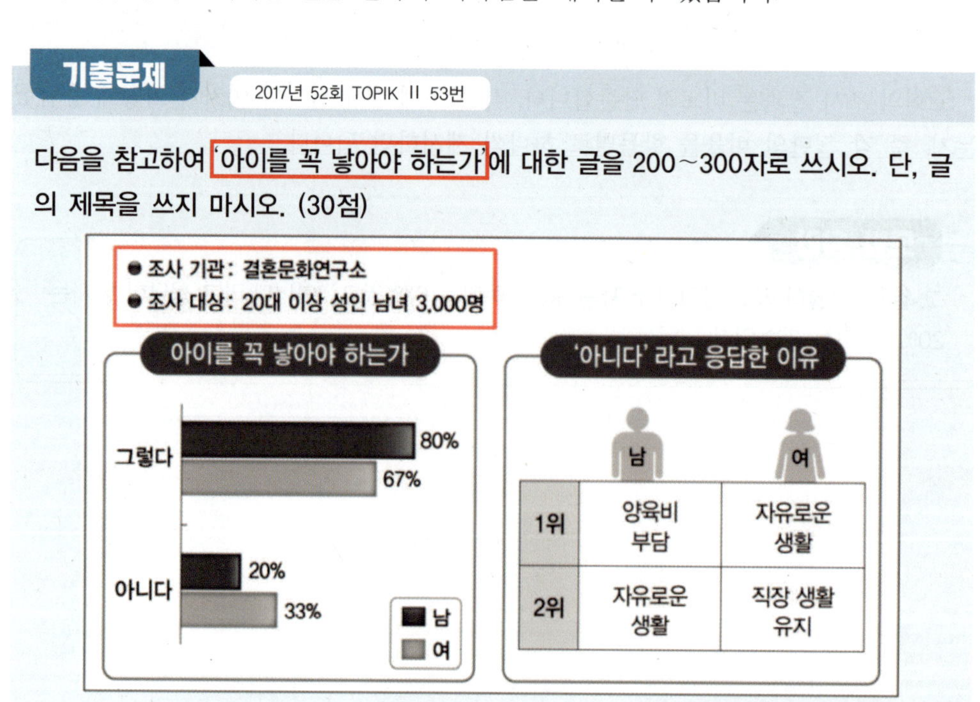

도입	결혼문화연구소에서 20대 이상 성인 남녀 3,000명을 대상으로 '아이를 꼭 낳아야 하는가'에 대해 조사하였다.
마무리	없음

도입 부분은 보통 일정한 작성 방식이 있습니다. 앞에서 분석한 것처럼, 먼저 조사 주제와 조사 대상을 확인해야 합니다. 도입은 일반적으로 '조사 기관에서 조사 대상을 대상으로 조사 주제에 대해 조사하였다'는 형식으로 작성하면 됩니다.

또한, 아래 41회 기출의 모범 답안처럼 '조사 주제에 대해 조사 대상을 대상으로 실시한 설문 조사에 따르면, 분석 결과로 나타났다'와 같은 방식으로도 제시할 수 있습니다. 이때 분석 결과는 두 집단 간의 차이가 있었다는 점만 간단히 언급하면 충분합니다.

기출문제 2015년 41회 TOPIK II 53번

다음은 '글쓰기 능력을 향상시키는 방법'에 대해 교사와 학생을 대상으로 실시한 설문 조사입니다. 그래프를 보고, 조사 결과를 비교하여 200~300자로 쓰십시오. (30점)

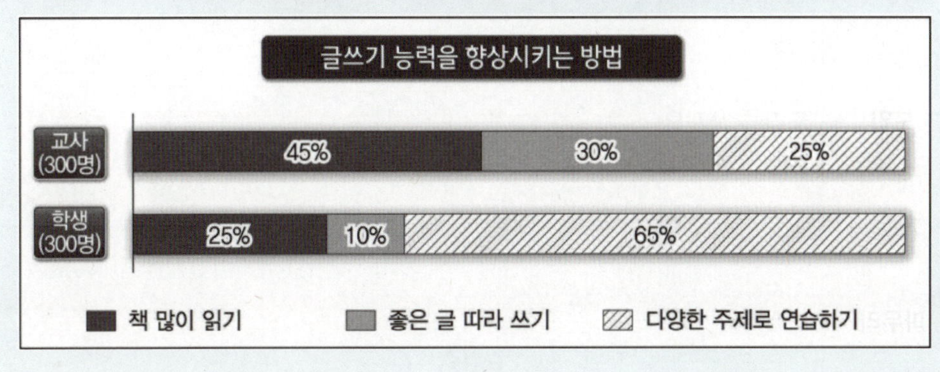

도입	'글쓰기 능력을 향상시키는 방법'에 대해 교사와 학생을 대상으로 실시한 설문 조사에 의하면 교사들과 학생들의 생각이 다른 것으로 나타났다.
마무리	결과적으로, 교사와 학생들은 글쓰기 능력을 향상시키는 방법에 대한 의견에 큰 차이가 있었다는 것을 알 수 있다.

마무리 부분은 비교적 자유롭게 작성할 수 있으며, 생략해도 무방합니다. 보통 분석 결과를 바탕으로 간단한 시사점을 제시하는 정도면 충분합니다. 위의 41회 기출의 모범 답안처럼, '결론적으로/결과적으로 조사 대상이 조사 주제에 차이가 있었다'는 식으로 정리하면 됩니다.

기출문제

2014년 35회 TOPIK Ⅱ 53번

다음 그래프를 보고, 연령대에 따라 필요하다고 생각하는 공공시설이 무엇인지 비교하여 그에 대한 자신의 생각을 200~300자로 쓰십시오. (30점)

30대와 60대 성인 남녀 500명을 대상으로 '필요하다고 생각하는 공공시설'에 대해 설문 조사를 하였다.

도입	도입을 쓰시오.
마무리	마무리를 쓰시오.

위에서 설명한 것처럼, 도입 부분에서는 'OO을 대상으로 OO에 대한 설문 조사를 실시하였다' 정도로 간단하게 제시하면 됩니다. 그리고 마무리 부분에서는 '이번 설문 조사 결과를 통해 …라는 사실을 알 수 있다'와 같이 조사의 핵심 의미를 정리해 주면 됩니다.

모범 답안

30대와 60대 성인 남녀를 대상으로 필요하다고 생각하는 공공시설에 대한 설문 조사를 실시하였다. (도입)

이상의 설문 조사 결과를 통해 자신의 나이와 직접적으로 관계가 있는 공공시설에 대한 요구가 상대적으로 크다는 사실을 알 수 있다. (마무리)

여기서 잠깐!

아래는 도입과 마무리 표현입니다.

도입	–에서 –명을 대상으로 –에 대해 (설문) 조사를 실시하였다 –에서 –에 대해 진행한 설문 조사에 따르면 –(으)ㄴ/ㄴ/는 것으로 나타났다 –에서 –에 대해 조사하여 발표하였다	
마무리	이러한 결과를 통해(서) 이번 조사 (결과)를 통해(서) 위의 조사를 통해(서)	–는/다는/라는 사실을/것을/점을 알/확인할 수 있다 –다는/라는 결론을 얻을 수 있다 –(으)ㅁ을 알/확인할 수 있다

연습 문제

1. 다음 그래프를 보고, '결혼 후 반드시 함께 살아야 하는가'에 대한 글을 200~300자로 쓰시오. 단, 글의 제목을 쓰지 마시오. (30점)

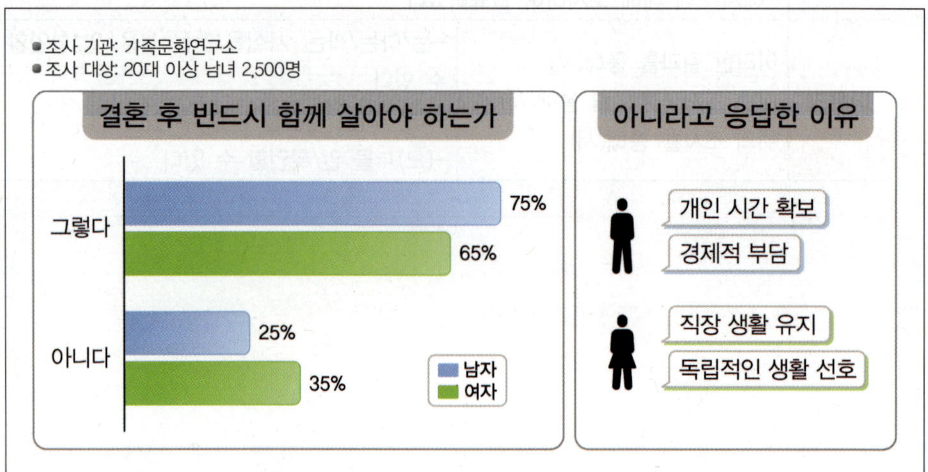

2. 다음은 '전자제품을 구매하는 기준'에 대해 20대와 50대를 대상으로 실시한 설문 조사입니다. 그래프를 보고, 조사 결과를 비교하여 200~300자로 쓰십시오. (30점)

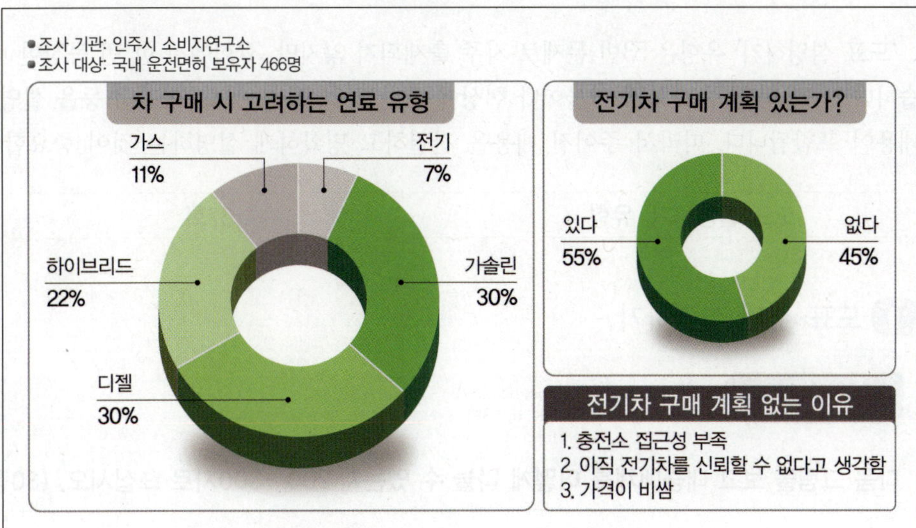

※ 책 뒤의 원고지에 연습해 보십시오.

셀프 노트

6 도표 설명하기

'도표 설명하기' 유형은 53번 문제로 자주 출제되지 않지만, 37회에서 한 번 등장한 바 있습니다. 이 유형은 주로 특정 사물이나 현상에 대한 정의, 특징, 분류, 장단점 등을 설명하는 내용이 포함됩니다. 따라서 주어진 내용을 간결하고 명확하게 설명하는 것이 중요합니다.

'도표 설명하기' 유형	37회

1 도표 주제 설명하기

기출문제

2014년 37회 TOPIK II 53번

다음 그림을 보고 대중매체를 어떻게 나눌 수 있는지 200~300자로 쓰십시오. (30점)

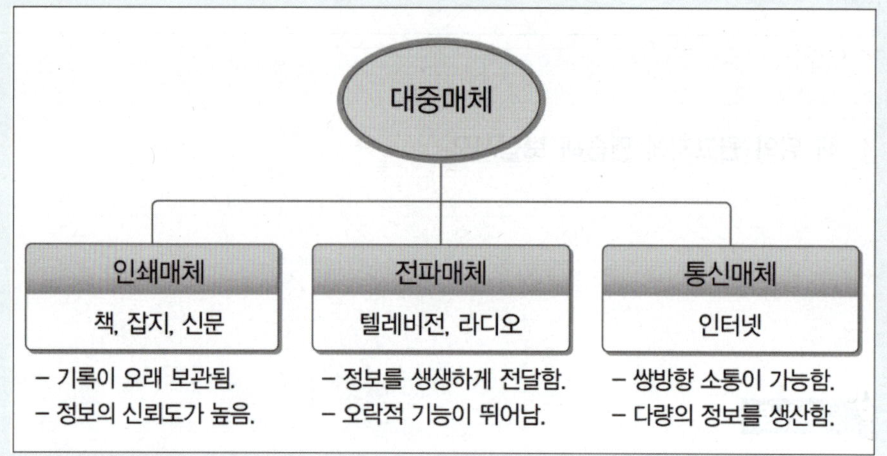

모범 답안

대중매체란 많은 사람에게 대량으로 정보와 생각을 전달하는 수단을 말한다.

'도표 설명하기' 유형의 경우, 먼저 사물에 대한 정의를 정확하게 내려야 합니다. 기출 문제에서는 보통 사물의 이름만 제시되지만, 일반적으로 대중에게 잘 알려진 사물이기 때문에, 정의를 내리는 데 큰 어려움은 없을 것입니다. 이때 '–은/는 –을/를 말한다' 등의 표현을 사용하여 사물을 설명할 수 있습니다.

여기서 잠깐!

아래는 정의 내리기와 관련된 표현입니다.

정의 내리기	–은/는/(이)란 –을/를 말한다/뜻한다/의미한다
	–은/는/(이)란 –라고 할 수 있다
	–은/는/(이)란 –(으)로 볼 수 있다

② 예시 및 특징 설명하기

기출문제   2014년 37회 TOPIK Ⅱ 53번

다음 그림을 보고 대중매체를 어떻게 나눌 수 있는지 200~300자로 쓰십시오. (30점)

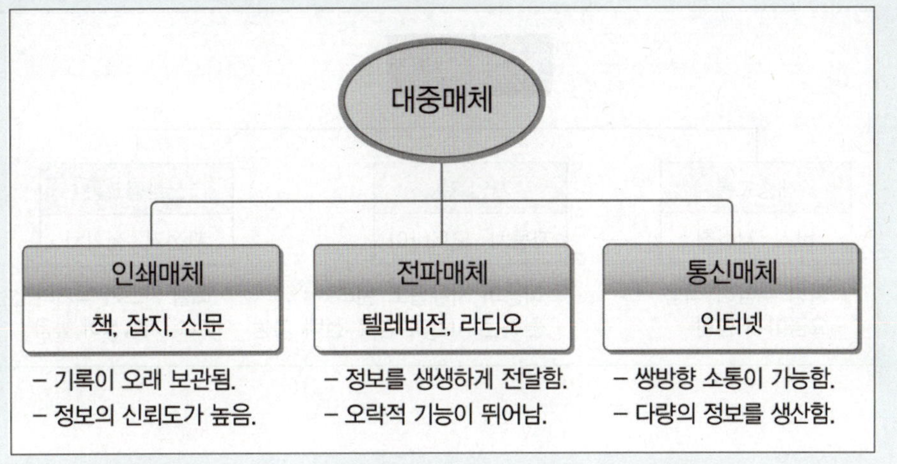

모범 답안

이러한 대중매체에는 다양한 양식이 있는데, 표현 양식을 기준으로 나누면 크게 인쇄매체, 전파매체, 통신매체이다. 인쇄매체는 책이나 잡지, 신문 등으로 기록이 오래 보관되고 정보의 신뢰도가 높다는 특징이 있다. 다음으로 전파매체가 있는데 텔레비전 라디오 등이 이에 속한다. 정보를 생생하게 전달하고 오락성이 뛰어나다는 특징을 가진다. 마지막으로 인터넷과 같은 통신매체를 들 수 있다. 쌍방향 소통이 가능하고 다량의 정보를 생산한다는 특징이 있다.

위에 제시된 모범 답안처럼, 먼저 제시된 주제(대중매체)에 대한 분류를 제시한 뒤, 유형별로 특징을 설명하면 됩니다. 이때 '먼저-그다음으로-마지막으로'와 같은 표현을 사용하여 각 유형별 특징을 논리적으로 제시할 수 있습니다.

여기서 잠깐!

아래는 분류 표현입니다.

분류	–은/는 A, B, C(으)로 나누어 볼 수 있다/나뉘어진다
	–은/는 A, B, C(으)로 구분할 수 있다
	–은/는 A, B, C(으)로 분류된다
특징	–은/는 ~ 특징이 있으며, –은/는 ~ 특징이 있다
	각 유형은 ~ 면에서 차이가 있다
예시	–의 예로는 A, B, C 등을 들 수 있다
	–의 대표적인 예로는 A, B, C가 있다
	–에는 A, B, C 등이 포함된다

연습 문제

1. 다음 그림을 보고 교통수단을 어떻게 나눌 수 있는지 200~300자로 쓰십시오. (30점)

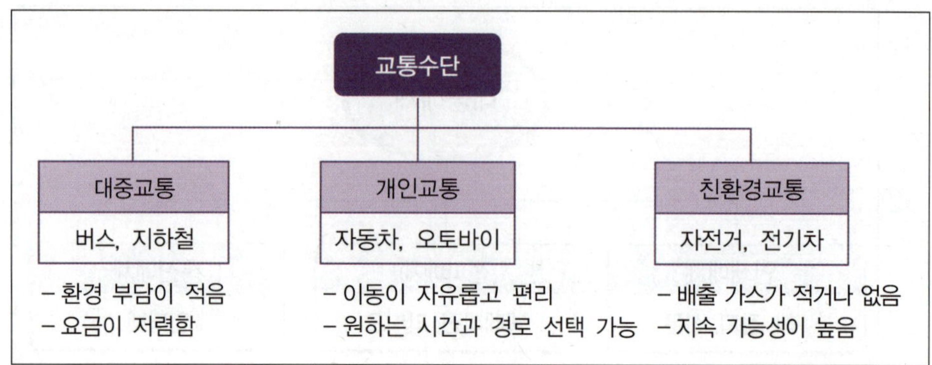

※ 책 뒤의 원고지에 연습해 보십시오.

단어

- **친환경**(环保 / thân thiện với môi trường) : 자연환경을 오염하지 않고 자연 그대로의 환경과 잘 어울리는 일.
- **전기차**(电车 / xe ô tô điện) : 전기 에너지를 동력원으로 하여 운행하는 차.
- **경로**(路径 / tuyến đường) : 지나가는 길.
- **배출**(排放 / sự thải ra) : 안에서 밖으로 밀어 내보냄.

7 삼단 구조로 개요 쓰기

54번 문제의 첫 번째 전략은 '삼단 구조로 개요 쓰기'입니다. '삼단 구조'란 '도입-전개-마무리'의 3부분(단락)으로 나뉜 구조를 말합니다. TOPIK 중급을 목표로 하고 있다면, 54번에서 힘들게 600~700자까지 쓰지 않아도 괜찮습니다. 54번은 400~500자 정도만 쓰고, 나머지 시간은 51~53번 문제를 푸는 데 써야 합니다. 이 책에서는 54번은 400~500자 정도만 쓰고, 중급 점수를 받는 것을 목표로 합니다.

1 중심 생각 5개로 삼단 구조 만들기

54번을 400~500자로 쓰려면 중심 생각은 최소 5개 정도 필요합니다. 물론 그 이상이어도 좋습니다. 54번 문제는 써야 할 내용 3가지를 모두 알려 주기 때문에, 글의 구조를 생각하지 않아도 됩니다. 먼저 중심 생각 5개를 써야 할 3가지 내용에 맞추어 삼단 구조로 만듭니다.

기출문제   2024년 96회 TOPIK II 54번

다음을 참고하여 600~700자로 글을 쓰시오. 단, 문제를 그대로 옮겨 쓰지 마시오. (50점)

> 오늘날 직장 내에서 복장, 출퇴근 시간, 업무 방식 등에 대해 개인의 자율성을 원하는 사람들이 많다. 회사에서 이런 자율성이 보장될 때 생기는 장점이 있다. 그러나 개인의 자율성만을 중시하는 사람이 많아지면 여러 문제가 발생할 우려도 있다. 아래의 내용을 중심으로 '직장과 개인의 자율성'에 대한 자신의 생각을 쓰라.   → 주제
>
> • 직장에서 개인의 자율성이 보장될 때의 장점은 무엇인가? → 과제 1
> • 직장 내 사람들이 개인의 자율성만 중시할 때 생기는 문제는 무엇인가? → 과제 2
> • 이런 문제를 해결하기 위해서는 어떻게 해야 하는가? → 과제 3

96회 문제는 '직장 생활' 분야의 문제로, 주제는 '직장과 개인의 자율성'입니다. 3~4급 학생은 '자율성'이란 단어를 모를 수 있습니다. 54번 문제는 5~6급을 정하는 문제여서 5~6급 단어가 나올 수 있습니다. 하지만 3~4급 학생도 문제를 풀 수 있도록, 좀 더 쉬운 단어로 어려운 단어를 설명해 주기도 합니다. 어려운 단어 때문에 주제를 잘 모르겠다면, 문제를 한번 더 읽어야 합니다. '출퇴근 시간, 업무 방식' 등에서 '개인'이 '원하는' 것을 하는 것이 '자율성'이라고 추측할 수 있습니다. 96회 문제는 직장에서 개인의 자율성이 보장되었을 때의 장점(과제 1)과 문제점(과제 2)을 쓰고, 문제를 해결하기 위해 어떻게 해야 하는지(과제 3)를 쓰는 문제입니다. 주제와 과제를 알았다면 중심 생각 5개를 생각합니다. 연습 시간은 5분입니다.

단어
- 복장(服裝 / trang phục): 옷을 입은 모양.
- 자율성(自律性 / tính tự chủ): 남의 지배나 구속을 받지 않고 스스로의 원칙에 따라 자신의 행동을 통제하는 성질.
- 중시하다(重視 / coi trọng): 매우 크고 중요하게 여기다.

| 연습 1 | 중심 생각(최소 5개)을 메모하십시오. |

• 직장에서 개인의 자율성이 보장될 때의 장점은 무엇인가? (과제 1)
중심 생각

중심 생각

• 직장 내 사람들이 개인의 자율성만 중시할 때 생기는 문제는 무엇인가? (과제 2)
중심 생각

중심 생각

• 이런 문제를 해결하기 위해서는 어떻게 해야 하는가? (과제 3)
중심 생각

중심 생각

중심 생각을 쓸 때는 최대한 짧게 써야 합니다. 과제 1에서 장점으로 '출퇴근 시간을 조정할 수 있다면, 가정에 많은 도움이 될 것 같다'라고 생각했더라도, 메모는 '가정에 도움' 정도로 짧게 씁니다. [연습 1]에서 중심 생각을 길게 썼다면, 다음 페이지의 [연습 2]로 가서 [연습 1]의 중심 생각을 최대한 짧게 다시 메모한 후, 아래 [개요 1]을 읽어봅니다.

| 개요 1 | |

• 직장에서 개인의 자율성이 보장될 때의 장점은 무엇인가? (과제 1)
가정에 도움
새로운 방법 OK
• 직장 내 사람들이 개인의 자율성만 중시할 때 생기는 문제는 무엇인가? (과제 2)
같이 일하기 X
큰 프로젝트 X
• 이런 문제를 해결하기 위해서는 어떻게 해야 하는가? (과제 3)
자율성 어디까지 → 의논

[개요 1]에서는 장점(과제 1)으로 2가지를 생각했습니다. 먼저 '가정에 도움'은 위에서 말한 것처럼 출퇴근 시간을 조정할 수 있다면, 가정에 많은 도움이 될 거라는 생각을 쓴 것입니다. 다음으로 '새로운 방법 OK'는 업무 방식에서 자율성이 보장될 때, 이제까지 하던 업무 방식에 새로운 시도를 더해볼 수 있을 거라는 생각을 쓴 것입니다. [개요 1]에서는 문제점(과제 2)도 2가지를 생각했는데, '같이 일하기 X'와 '큰 프로젝트 X'는 자율성이 지나치면 협력과 큰 프로젝트 진행이 어려울 것이라는 생각을 쓴 것입니다. 마지막으로 해결 방안(과제 3)에서는 '자율성 어디까지 → 의논'이라고 썼는데, 이는 회사에서 자율성을 어디까지 보장할 것인지에 대한 의견을 모아야 한다는 생각을 메모한 것입니다.

2 뒷받침 생각으로 개요 완성하기

다음은 '뒷받침 생각으로 개요 완성하기'입니다. 이제 [연습 1]에서 작성한 5개의 중심 생각을 구체화하는데, 중심 생각마다 1~2개 정도로 뒷받침 생각을 메모합니다. 중심 생각이 다섯 개라면 뒷받침 생각은 최소 5개, 최대 10개가 될 것입니다. 54번을 400~500자 정도만 쓰기로 결정했다면, 뒷받침 생각은 5~6개 정도면 충분합니다. 만약 중심 생각을 6~7개 썼다면, 뒷받침 생각은 3~4개도 충분합니다. 중심 생각과 뒷받침 생각이 모두 10개 정도라면 충분히 400~500자를 쓸 수 있습니다. 이 단계에서는 답안지에 쓸 내용을 모두 메모해야 하지만, 5분이 지났는데도 더 이상 생각이 나지 않는다면, 생각을 멈추고 답안지를 쓰기 시작하는 것이 좋습니다. 여기에서도 최대한 짧게 메모해야 합니다. 아래 [연습 2]의 '↳' 부분에 뒷받침 생각을 써서 중심 생각을 구체화해 봅시다. 중심 생각과 뒷받침 생각을 쓰는 시간은 모두 10분을 넘지 않아야 하므로, 여기에서도 연습 시간은 5분입니다.

연습 2 중심 생각마다 1~2개의 뒷받침 생각(모두 5~6개)을 메모하십시오.

• 직장에서 개인의 자율성이 보장될 때의 장점은 무엇인가? (과제 1)

중심 생각
  ↳ 뒷받침 생각
  ↳ 뒷받침 생각
중심 생각
  ↳ 뒷받침 생각
  ↳ 뒷받침 생각

• 직장 내 사람들이 개인의 자율성만 중시할 때 생기는 문제는 무엇인가? (과제 2)

중심 생각
  ↳ 뒷받침 생각
  ↳ 뒷받침 생각
중심 생각
  ↳ 뒷받침 생각
  ↳ 뒷받침 생각

• 이런 문제를 해결하기 위해서는 어떻게 해야 하는가? (과제 3)

중심 생각
  ↳ 뒷받침 생각
  ↳ 뒷받침 생각
중심 생각
  ↳ 뒷받침 생각
  ↳ 뒷받침 생각

[개요 1]의 중심 생각도 [개요 2]와 같이 구체화됐습니다.

개요 2

• 직장에서 개인의 자율성이 보장될 때의 장점은 무엇인가? (과제 1)
  가정에 도움
  ↳ 출퇴근 시간 = 아이 학교 가고 집에 오는 시간
  새로운 방법 OK
  ↳ 업무 방식 바꾸기
• 직장 내 사람들이 개인의 자율성만 중시할 때 생기는 문제는 무엇인가? (과제 2)
  같이 일하기 X
  ↳ 출퇴근 시간 다름 → 의사소통 시간 ↓
  ↳ 노하우 전달 중요 X → 성과 ↓
  큰 프로젝트 X
  ↳ 일정 맞추기, 의견 조정
• 이런 문제를 해결하기 위해서는 어떻게 해야 하는가? (과제 3)
  자율성 어디까지 → 의논
  ↳ 일의 성격 다름 → 자율성 다름

[개요 2]가 무슨 말인지 잘 모르겠다면, [모범 답안 1]을 읽어봅니다. 54번 문제를 25~30분 사이에 풀기 위해서는 [모범 답안 1]과 같은 글을 15~20분 사이에 써야 합니다. 한편, 54번 문제는 PBT와 IBT의 차이가 큽니다. 원고지에 작성하는 PBT의 경우, 수정테이프로 수정이 가능하나 여러 번 수정하기 어려우므로, 머릿속으로 빠르게 문장을 완성해 보고 답안지에 쓰는 것이 좋습니다. 반면 컴퓨터로 작성하는 IBT의 경우, 중심 생각 단계부터 글의 완성까지 언제든지 수정할 수 있지만, 타이핑 속도가 빨라야 합니다. 54번 문제만 생각한다면 타이핑 연습을 충분히 하고 IBT를 보는 것을 추천합니다.

모범 답안 1

　많은 기업들이 직원들의 자율성을 높이기 위해 노력하고 있다. 이렇게 되면 먼저 가정에 도움이 될 것이다. 예를 들어 출퇴근 시간을 조정한다면, 아이가 학교에 가고 집에 오는 시간에 함께할 수 있을 것이다. 그리고 회사에서도 새로운 방법으로 일해 볼 수 있을 것이다. 예를 들면 그동안 자율성이 없었던 탓에 바꾸지 못한 업무 방식을 바꿀 수 있을 것이다.

　그러나 개인의 자율성만 중시한다면, 같이 일하기 어려워질 수 있다. 팀원들의 출퇴근 시간이 다르다면, 의사소통 시간도 줄어들어 업무에 영향을 줄지도 모른다. 또한 자율성이 강조되어 노하우 전달을 중요하지 않게 생각한다면, 성과가 낮아질 수 있다. 한편 큰 프로젝트의 경우, 일정을 맞추거나 의견을 조정하는 과정이 필요한데, 자율성만 중시하다가는 진행이 어려워질 것이다.

　이러한 문제를 해결하기 위해, 자율성을 어디까지 보장할 것인지 의논해야 한다. 혼자서 할 수 있는 일에는 자율성을 높이도록 하고, 협력이 필요한 일에는 자율성을 낮춰야 한다. (503자)

600~700자까지 써 보고 싶다면, [개요 3]의 밑줄 친 부분과 같이 중심 생각이나 뒷받침 생각을 1개 정도 더 생각합니다. 그리고 [모범 답안 2]의 밑줄 친 부분과 같이 조금 더 자세하게 글을 씁니다. 만약 54번에서 400~500자 분량의 글을 먼저 작성한 후, 600~700자까지 글자 수를 늘리는 방식으로 글을 쓰고 싶다면 IBT에 응시하는 것을 추천합니다.

개요 3

- 직장에서 개인의 자율성이 보장될 때의 장점은 무엇인가? (과제 1)

  가정에 도움
  ↳ 출퇴근 시간 = 아이 학교 가고 집에 오는 시간
  ↳ 가족이 아플 때 집에서 일하기

  새로운 방법 OK
  ↳ 업무 방식 바꾸기

- 직장 내 사람들이 개인의 자율성만 중시할 때 생기는 문제는 무엇인가? (과제 2)

  같이 일하기 X
  ↳ 출퇴근 시간 다름 → 의사소통 시간 ↓
  ↳ 노하우 전달 중요 X → 성과 ↓

  큰 프로젝트 X
  ↳ 일정 맞추기, 의견 조정

- 이런 문제를 해결하기 위해서는 어떻게 해야 하는가? (과제 3)

  자율성 어디까지 → 의논
  ↳ 일의 성격 다름 → 자율성 다름

모범 답안 2

　많은 기업들이 복장, 출퇴근 시간, 업무 방식 등에서 직원들의 자율성을 높이기 위해 노력하고 있다. 이렇게 되면 먼저 가정에 도움이 될 것이다. 예를 들어 출퇴근 시간을 조정해 아이가 학교에 가고 집에 오는 시간에 함께할 수 있을 것이고, 가족이 아플 때 업무 방식을 바꿔서 집에서 일을 할 수도 있을 것이다. 그리고 회사에서도 새로운 방법으로 일해 볼 수 있을 것이다. 예를 들면 그동안 자율성이 없었던 탓에 바꾸지 못한 업무 방식을 바꿔 업무 성과를 높일 수 있을 것이다.

　그러나 개인의 자율성만 중시한다면, 같이 일하기 어려워질 수 있다. 앞에서 말한 출퇴근 시간 조정의 경우, 팀원들의 출퇴근 시간이 모두 다르다면, 의사소통을 할 수 있는 시간도 줄어들어 업무에 영향을 줄지도 모른다. 또한 자율성이 강조되어 업무를 할 때 노하우 전달을 중요하지 않게 생각한다면, 전보다 성과가 낮아질 수 있다. 한편 큰 프로젝트의 경우, 일정을 맞추거나 의견을 조정하는 과정이 필요한데, 자율성만 중시하다가는 프로젝트 진행이 어려워질 것이다.

　이러한 문제를 해결하기 위해, 기업에서는 자율성을 어디까지 보장할 것인지 의논해야 한다. 혼자서 할 수 있는 일에는 자율성을 더 높이도록 하고, 큰 프로젝트와 같이 다른 사람과 협력이 필요한 일에는 자율성을 낮추도록 하는 등, 자율성의 범위에 대한 의견을 모아야 할 것이다. (678자)

여기까지 중급 수준에서 54번 문제를 푸는 대략의 과정을 살펴보았습니다. 그럼, 고급 수준에서는 어떻게 글을 쓸 수 있을까요? 아래는 TOPIK에서 공개한 모범 답안입니다. 글이 좀 더 어려워진 것을 확인할 수 있을 것입니다.

모범 답안 3

　사회의 변화로 개인의 자율성을 중시하는 사람들이 많아졌다. 이에 따라 기업에서도 유연근무제를 실시하는 등 직장 내 자율성을 높이고자 노력하고 있다. 직장에서 개인의 자율성이 보장되면 직장 내 문화가 유연해져 개인이 창의성을 발휘할 수 있는 근무 환경이 만들어진다. 또한 개인이 자신에게 적합한 근무 여건을 조성하여 일할 수 있어 일과 삶의 균형이 생긴다. 이것이 구성원의 업무 효율을 높이는 데 기여하여 조직의 목표를 밝히는 데에 도움이 된다.

　그러나 직장 내 사람들이 개인의 자율성만 중시하면 부작용이 발생할 수 있다. 먼저, 개인이 공동의 목표보다는 자신의 입장만을 생각하다 보면 자율성이 이기주의로 변질될 수 있다. 이러한 상황이 계속되면 책임자와 팀원 간 갈등, 세대 간 갈등이 발생할 수도 있다. 또한 업무의 자율성이 높아져 개별적으로 일할 수 있는 환경이 익숙해지면 소통이 부재하여 합의점을 찾기 어렵고 협력을 통한 성과를 내기 어려울 수 있다.

　이러한 문제를 해결하기 위해서는 직장 내 개개인이 자율성을 가지면서도 업무를 수행할 때는 최대한 동료와 협업하고 서로를 배려하는 마음을 가질 필요가 있다. 또한 조직은 구성원의 자율성을 높이면서 조직의 목표를 성취하는 데 도움이 되는 방안을 고민해야 한다. 나아가 효율적인 의사소통 방안을 마련하여 구성원 간 원활한 협력이 기능하도록 해야 할 것이다. (678자)

기출 분석 54번 문제의 논리 흐름

앞에서 54번 문제는 써야 할 내용 3가지(과제 1~3)를 모두 알려 준다고 했습니다. 그리고 이 3가지 내용은 논리적으로 자연스럽게 이어지는데, 바로 '장점/원인/필요성 → 문제점 → 해결 방안'의 흐름입니다. 96회 문제를 다시 한번 봅니다. '장점 → 문제점 → 해결 방안'의 흐름이 보일 것입니다.

기출문제 2024년 96회 TOPIK Ⅱ 54번

다음을 참고하여 600~700자로 글을 쓰시오. 단, 문제를 그대로 옮겨 쓰지 마시오. (50점)

> 오늘날 직장 내에서 복장, 출퇴근 시간, 업무 방식 등에 대해 개인의 자율성을 원하는 사람들이 많다. 회사에서 이런 자율성이 보장될 때 생기는 장점이 있다. 그러나 개인의 자율성만을 중시하는 사람이 많아지면 여러 문제가 발생할 우려도 있다. 아래의 내용을 중심으로 '직장과 개인의 자율성'에 대한 자신의 생각을 쓰라.

- 직장에서 개인의 자율성이 보장될 때의 장점은 무엇인가? → 장점
- 직장 내 사람들이 개인의 자율성만 중시할 때 생기는 문제는 무엇인가? → 문제점
- 이런 문제를 해결하기 위해서는 어떻게 해야 하는가? → 해결 방안

'장점 → 문제점 → 해결 방안'의 흐름은 장점과 단점을 모두 가진 주제를 다룰 때 나올 수 있습니다. 이런 문제가 나왔을 때는 제시된 주제(96회에서는 '개인의 자율성')의 장점이 있음에도 불구하고(과제 1), 문제점도 있기 때문에(과제 2) 해결해야 한다(과제 3)는 흐름으로 글을 써야 자연스럽습니다. 참고로 다른 회차에서는 '장점' 대신 '긍정적인 효과/측면/영향'과 같은 말도 제시되었습니다. 다음으로 91회 문제를 봅니다. 여기에서는 '원인 → 문제점 → 해결 방안'의 흐름이 보일 것입니다.

기출문제 2023년 91회 TOPIK II 54번

다음을 참고하여 600~700자로 글을 쓰시오. 단, 문제를 그대로 옮겨 쓰지 마시오. (50점)

> 오늘날 우리는 정보 통신 기술의 발달로 누구나 쉽게 정보를 생산하고 대중에게 전달할 수 있다. 그런데 정보의 생산과 유통을 통해 개인과 집단이 이익을 얻을 수도 있게 되면서 사실과 다른 가짜 뉴스가 늘어나고 있다. 아래의 내용을 중심으로 '가짜 뉴스의 등장이 사회에 미치는 영향'에 대한 자신의 생각을 쓰라.
>
> - 가짜 뉴스가 생겨나는 사회적 배경은 무엇인가?   → 원인
> - 가짜 뉴스로 인해 어떤 문제가 생길 수 있는가?   → 문제점
> - 이런 문제들을 해결하기 위해서 어떤 방안이 필요한가?   → 해결 방안

'원인 → 문제점 → 해결 방안'의 흐름은 장점을 이야기하기 어려운 주제를 다룰 때 나올 수 있습니다. 91회의 주제인 '가짜 뉴스'는 심각한 사회 문제로 장점을 이야기하기 어려운, 부정적인 주제입니다. 그러므로 문제의 원인(과제 1)과 구체적인 문제점(과제 2)을 차례대로 다룬 후, 해결 방안(과제 3)을 다루는 흐름이 자연스럽습니다. 91회 문제의 과제 1에서는 '배경'이라는 단어가 제시되었지만, 가짜 뉴스의 '배경'은 가짜 뉴스의 '원인'과 같은 말입니다. 다른 회차에서는 과제 1에 보다 직접적으로 '원인, 이유, 왜'와 같은 단어가 제시되기도 했습니다. 다음으로 83회 문제를 봅니다.

기출문제 2022년 83회 TOPIK II 54번

다음을 참고하여 600~700자로 글을 쓰시오. 단, 문제를 그대로 옮겨 쓰지 마시오. (50점)

> 창의력은 새로운 것을 생각해 내는 능력이다. 현대 사회는 개인에게 창의력을 더 많이 요구하고 있다. 아래의 내용을 중심으로 '창의력의 필요성과 이를 기르기 위한 노력'에 대한 자신의 생각을 쓰라.
>
> - 창의력이 필요한 이유는 무엇인가?   → 필요성
> - 창의력을 발휘했을 때 얻을 수 있는 성과는 무엇인가?   → 영향
> - 창의력을 기르기 위해서 어떠한 노력을 할 수 있는가?   → 노력

여기에서는 '필요성 → 영향 → 노력'의 흐름이 보일 것입니다. 앞의 두 문제와는 달리 '문제점 → 해결 방안'의 흐름이 아니라 '영향 → 노력'의 흐름이라는 것을 우선 기억하고, '필요성'부터 살펴봅니다. '필요성'으로 시작하는 주제는 단점을 이야기하기 어려운, 긍정적인 주제를 다룰 때 나올 수 있습니다. '원인'으로 시작하는 주제와는 반대의 경우입니다. 83회의 주제인 '창의력'은 모든 분야에서 필요한 능력으로, '창의력'이 있어서 문제가 된다고 말하기 어렵습니다. 그러므로 먼저 필요성(과제 1)을 다룬 뒤, 그것의 긍정적인 영향(과제 2)에 대해 말하고, 마지막으로 그것을 얻기 위한 노력(과제 3)까지 언급하는 흐름이 자연스럽습니다. 83회 문제의 과제 2에서는 '성과'라는 단어가 제시되었지만, 창의력의 '성과'는 창의력의 긍정적인 '영향'으로 생각해도 좋습니다. 다른 회차에서는 과제 1에 '필요성'이 아니라 '중요성'을 묻기도 하는데, '필요한/중요한 이유, -을/를 해야 하는 이유, 왜 필요한가/중요한가'와 같은 표현으로 '필요성'이나 '중요성'이 제시됩니다.

한편, '영향 → 노력'의 흐름은 '문제점 → 해결 방안'의 흐름과 다르지 않습니다. 왜냐하면 '문제점 → 해결 방안'의 흐름이나 '영향 → 노력'의 흐름이나, 모두 문제점이나 영향을 나열하고, 이를 해결하거나 잘하기 위해서 무엇을 해야 한다고 작성하기 때문입니다. 83회의 경우, '필요성 → 영향 → 노력'의 흐름이었지만, 다른 회차에서는 주제의 필요성을 말한 뒤, 이것이 충분하지 않았을 때 어떤 문제가 생길 수 있는지 언급하고, 마지막으로 이러한 문제를 해결하기 위해 어떻게 해야 하는지를 작성하라는, '필요성 → (불충분 시) 문제점 → 해결 방안'의 흐름으로 이어지는 문제가 나오기도 했습니다.

정리하자면, 54번 문제의 논리 흐름은 '장점/원인/필요성 → 문제점 → 해결 방안'의 흐름으로 이해할 수 있습니다. 그리고 주제에 따라 '문제점 → 해결 방안'의 흐름은 '영향 → 노력'의 흐름으로도 나타날 수 있지만, 쓰는 방법에서는 두 흐름이 크게 다르지 않습니다. 물론 어떤 문제는 '장점/원인/필요성 → 문제점 → 해결 방안'의 흐름으로 설명하기 어려울 수도 있습니다. 하지만 그런 문제들도 '장점/원인/필요성 → 문제점 → 해결 방안'의 흐름을 많이 연습한다면 어렵지 않게 풀 수 있습니다.

54번 문제의 논리의 흐름

주제	첫 번째 단락	두 번째 단락	세 번째 단락
장점과 단점이 분명한 주제	장점	문제점	해결 방안
장점을 이야기하기 어려운(부정적인) 주제	원인	문제점	해결 방안
단점을 이야기하기 어려운(긍정적인) 주제	필요성	(불충분 시) 문제점 또는 영향	해결 방안 또는 노력

단어

- **청소년기**(靑少年期 / thời kì thanh thiếu niên): 아동이 신체적 변화와 정체성의 혼란을 겪으며 성인이 되어 가는 도중의 시기.
- **조기 교육**(超前教育 / sự giáo dục sớm): 지능 발달이 빠른, 학교에 들어가기 전의 어린이를 대상으로 일정한 교과 과정에 따라 실시하는 교육.

기출 분석 자주 출제되는 분야

54번 문제에서는 사회적 이슈나 개인의 가치관을 묻는 주제가 주로 출제됩니다. 아래 표는 그 동안 54번에서 출제되었던 주제들을 분야별로 정리한 것입니다. 기출문제는 TOPIK 사이트 (www.topik.go.kr)에서 확인할 수 있으며, 현재(2025년)까지 총 11차시의 기출문제가 공개되었습니다.

54번 문제에서 자주 출제되는 분야	
사회적 이슈	
사회 일반	청소년기의 중요성(64회, 2019년)
교육	조기 교육의 장점과 문제점(60회, 2018년)
	역사 교육의 필요성과 역사에서 배우는 것(41회, 2015년)
미디어	가짜 뉴스의 등장이 사회에 미치는 영향(91회, 2023년)
개인의 가치관	
가치관 일반	경제적 여유가 행복에 미치는 영향(35회, 2014년)
자기 계발	창의력의 필요성과 이를 기르기 위한 노력(83회, 2022년)
	현대 사회에서 필요한 인재(37회, 2014년)
	동기가 일에 미치는 영향(36회, 2014년)
커뮤니케이션	의사소통의 중요성과 방법(52회, 2017년)
	칭찬의 영향과 효과적인 칭찬 방법(47회, 2016년)
직장 생활	직장과 개인의 자율성(96회, 2024년)

54번 문제의 주제는 생활 속에서 누구나 한 번쯤은 생각해 볼 수 있는 주제들입니다. 위의 표 이외에도 과학 기술이나 환경 분야에서도 문제가 출제되었다고 하나, 이 역시 낯선 주제가 아니므로 크게 걱정하지 않아도 됩니다. '장점/원인/필요성 → 문제점 → 해결 방안'으로 이어지는 논리의 흐름을 생각해 봤을 때, 기출문제의 주제들에서 발생할 수 있는 문제점과 문제의 해결 방안을 정리해 두면 시험에 도움이 될 것입니다. 시간이 있다면 기출문제의 주제로 '삼단 구조로 개요 쓰기'를 연습해 봅니다. 혼자 연습하기 어렵다면, TOPIK을 준비하는 친구들과 같이 연습해 보거나 ChatGPT와 같은 AI 서비스를 이용해도 좋습니다. 평소에 다양한 주제로 생각해 보는 연습이 중요합니다.

연습 문제

※ [1~3] 중심 생각(최소 5개)으로 삼단 구조를 만들고, 뒷받침 생각으로 개요를 완성하십시오. 중심 생각과 뒷받침 생각은 모두 10개 정도만 쓰고, 메모는 최대한 짧게 쓰십시오. 연습 시간은 10분입니다.

1.

> 최근 ChatGPT와 같은 챗봇 AI의 사용이 증가하고 있다. 챗봇 AI는 사용자의 의도를 분석하여 인간과 유사한 방식으로 검색 결과를 제공하는 등의 장점이 있지만, 때로는 잘못된 정보를 사실처럼 만들어 내는 등의 문제점도 있다. 아래 내용을 중심으로 '챗봇 AI의 문제점과 해결 방안'에 대한 자신의 생각을 쓰라.

- 챗봇 AI를 사용했을 때 좋은 점은 무엇인가?
- 챗봇 AI가 제공하는 답변에서 무엇이 문제가 되는가?
- 이런 문제를 최소화하기 위해서는 어떻게 해야 하는가?

- 챗봇 AI를 사용했을 때 좋은 점은 무엇인가?

- 챗봇 AI가 제공하는 답변에서 무엇이 문제가 되는가?

- 이런 문제를 최소화하기 위해서는 어떻게 해야 하는가?

단어

- **챗봇**(chatbot / 聊天机器人 / trò chuyện tự động) : 문자나 음성으로 사용자와 대화를 나눌 수 있도록 시스템이 구현된 컴퓨터 프로그램. 또는 인공 지능.
- **유사하다**(类似 / tương tự) : 서로 비슷하다.
- **최소화하다**(最小化 / tối thiểu hóa) : 양이나 정도를 가장 적게 하다.

단어

• **오버 투어리즘**(over tourism / 过度旅游 / quá tải du lịch) : 관광지에 수용 가능한 인원 이상의 관광객이 몰리는 일.

2.

관광지에 지나치게 많은 관광객이 몰려 지역 주민의 삶과 환경에 부정적인 영향을 미치는 현상을 '오버 투어리즘'이라고 한다. 우리는 종종 세계적으로 유명한 관광지에서 '오버 투어리즘' 문제로 관광객과 지역 주민 사이에 갈등이 발생했다는 소식을 듣곤 한다. 아래 내용을 중심으로 '오버 투어리즘 문제'에 대한 자신의 생각을 쓰라.

• 오버 투어리즘이 발생하는 원인은 무엇인가?
• 오버 투어리즘으로 인해 어떤 문제가 생길 수 있는가?
• 이런 문제들을 해결하기 위해서 어떤 방안이 필요한가?

• 오버 투어리즘이 발생하는 원인은 무엇인가?

• 오버 투어리즘으로 인해 어떤 문제가 생길 수 있는가?

• 이런 문제들을 해결하기 위해서 어떤 방안이 필요한가?

3.

> 　가치 있는 것이나 목표한 것을 얻기 위해 어려움에 맞서는 것을 도전이라고 한다. 도전은 개인의 성장을 위한 필수적인 과정이지만, 도전에는 항상 실패가 따르기 마련이다. 아래의 내용을 중심으로 '도전의 중요성과 실패를 받아들이는 태도'에 대한 자신의 생각을 쓰라.

- 도전이 중요한 이유는 무엇인가?
- 도전과 실패의 관계는 어떠한가?
- 실패가 다시 도전으로 이어지도록 하려면 어떻게 해야 하는가?

- 도전이 중요한 이유는 무엇인가?

- 도전과 실패의 관계는 어떠한가?

- 실패가 다시 도전으로 이어지도록 하려면 어떻게 해야 하는가?

8 생각 나열하고 장점과 문제점 쓰기

1 생각 나열하기

'생각 나열하기'는 중심 생각이나 뒷받침 생각을 차례대로 언급하는 것으로, 주로 장점, 문제점, 해결 방안을 쓸 때 사용할 수 있습니다. 앞의 [개요 2]와 [모범 답안 1]의 밑줄 친 부분에서 중심 생각과 뒷받침 생각이 어떻게 나열됐는지 봅니다.

개요 2

- 직장에서 개인의 자율성이 보장될 때의 장점은 무엇인가? (과제 1)

  <u>먼저</u> 가정에 도움

  ↳ 출퇴근 시간 = 아이 학교 가고 집에 오는 시간

  <u>그리고</u> 새로운 방법 OK

  ↳ 업무 방식 바꾸기

- 직장 내 사람들이 개인의 자율성만 중시할 때 생기는 문제는 무엇인가? (과제 2)

  <u>그러나</u> 같이 일하기 X

  ↳ 출퇴근 시간 다름 → 의사소통 시간 ↓

  ↳ <u>또한</u> 노하우 전달 중요 X → 성과 ↓

  <u>한편</u> -의 경우 큰 프로젝트 X

  ↳ 일정 맞추기, 의견 조정

- 이런 문제를 해결하기 위해서는 어떻게 해야 하는가? (과제 3)

  자율성 어디까지 → 의논

  ↳ 일의 성격 다름 → 자율성 다름 <u>-고</u>

모범 답안 1

　많은 기업들이 직원들의 자율성을 높이기 위해 노력하고 있다. 이렇게 되면 <u>먼저</u> 가정에 도움이 될 것이다. 예를 들어 출퇴근 시간을 조정한다면, 아이가 학교에 가고 집에 오는 시간에 함께할 수 있을 것이다. <u>그리고</u> 회사에서도 새로운 방법으로 일해 볼 수 있을 것이다. 예를 들면 그동안 자율성이 없었던 탓에 바꾸지 못한 업무 방식을 바꿀 수 있을 것이다.

　<u>그러나</u> 개인의 자율성만 중시한다면, 같이 일하기 어려워질 수 있다. 팀원들의 출퇴근 시간이 다르다면, 의사소통 시간도 줄어들어 업무에 영향을 줄지도 모른다. <u>또한</u> 자율성이 강조되어 노하우 전달을 중요하지 않게 생각한다면, 성과가 낮아질 수 있다. <u>한편</u> 큰 프로젝트의 경우, 일정을 맞추거나 의견을 조정하는 과정이 필요한데, 자율성만 중시하다가는 진행이 어려워질 것이다.

　이러한 문제를 해결하기 위해, 자율성을 어디까지 보장할 것인지 의논해야 한다. 혼자서 할 수 있는 일에는 자율성을 높이도록 하고, 협력이 필요한 일에는 자율성을 낮춰야 한다. (503자)

[개요 2]에서 과제 1의 중심 생각으로 '가정에 도움'과 '새로운 방법 OK'를 떠올리고, [모범 답안 1]에서 문장을 만들면서 문장 앞에 차례대로 '먼저'와 '그리고'를 사용했습니다. 장점이나 문제점을 나열할 때, 문장 앞에 '먼저', '그리고'와 같은 단어를 사용하면 읽는 사람이 글의 논리적 흐름을 파악하기 쉽습니다. [모범 답안 1]의 과제 1에서는 중심 생각을 2개만 썼지만, 만약 3개의 중심 생각을 썼다면 첫 번째 중심 생각은 '먼저'나 '우선'으로, 두 번째 중심 생각은 '그리고', '또한', '다음으로'로, 세 번째 중심 생각은 '나아가', '마지막으로'와 같은 단어로 시작할 수 있습니다. 물론 '첫째', '둘째', '셋째'와 같이 시작할 수도 있습니다.

중심 생각의 흐름을 나타내는 단어		
중심 생각	중심 생각 1 →	중심 생각 2 →	중심 생각 3
단어	먼저/우선 →	그리고/또한/다음으로 →	나아가/마지막으로
	첫째 →	둘째 →	셋째

과제 2의 중심 생각들을 문장으로 만들 때는 앞 문단과의 관계부터 생각해야 합니다. 앞에서 54번 문제의 논리 흐름이 많은 경우 '장점/원인/필요성→문제점→해결 방안'으로 나온다고 했습니다. [개요 2], [모범 답안 1]과 같은 '장점→문제점→해결 방안'의 흐름에서 장점과 문제점은 서로 반대되는 내용입니다. 따라서 두 번째 문단을 시작할 때, '그러나'와 같은 단어들을 써야 합니다. 하지만 두 번째 문단의 중심 생각들이 모두 장점이나 단점으로 동등하게 나열되는 것이라면, 과제 2의 두 번째 중심 생각부터는 첫 번째 문단과 같이 '그리고', '또한', '다음으로'로 시작할 수 있습니다.

앞 문단과 반대되는 문단에서 중심 생각의 흐름을 나타내는 단어		
중심 생각	중심 생각 1 →	중심 생각 2 →	중심 생각 3
단어	그러나/하지만/그런데 →	그리고/또한/다음으로 →	나아가/마지막으로

하지만 [모범 답안 1]에서는 과제 2의 두 번째 중심 생각, '큰 프로젝트 X'를 '한편 –의 경우'로 시작했습니다. 왜냐하면 과제 2의 첫 번째 중심 생각인 '같이 일하기 X'와 두 번째 중심 생각인 '큰 프로젝트 X'의 관계가 과제 1의 두 중심 생각('가정에 도움'과 '새로운 방법 OK')과 다르기 때문입니다. 과제 1의 두 중심 생각이 각각 가정과 회사에서의 장점으로, 동등하게 나열할 수 있는 것이라면, 과제 2에서는 먼저 같이 일하기가 어려워질 수 있다는 일반적인 문제점(같이 일하기 X)을 언급한 후, 이와 관련된 추가적인 상황(큰 프로젝트 X)을 더한 것이기 때문입니다. 따라서 [모범 답안 1]에서는 과제 2의 두 번째 아이디어를 시작할 때 추가적인 상황을 언급하는 '한편 –의 경우'와 같은 표현을 사용했습니다. '한편 –의 경우'는 '특히/그리고/또한 –의 경우'로 바꿔 쓸 수도 있습니다.

뒷생각이 앞생각의 추가적인 상황일 때		
생각	앞생각 → 뒷생각	
시작 단어	한편/특히/그리고/또한 -의 경우	

뒷받침 생각('↘' 부분)을 기술할 때도 동등하게 나열되는 경우, '먼저/우선 → 그리고/또한/다음으로→나아가/마지막으로'의 순서로 생각의 흐름을 드러낼 수 있습니다. [개요 2]에서 과제 2의 첫 번째 중심 생각인 '같이 일하기 X'의 경우, 첫 번째 뒷받침 생각인 '출퇴근 시간 다름 → 의사소통 시간 ↓'에서는 흐름을 드러내는 단어를 사용하지는 않았지만, 두 번째 뒷받침 생각인 '노하우 전달 중요 X → 성과 ↓'에는 '또한'을 사용하여 흐름을 드러내고 있습니다. 물론 첫 번째 뒷받침 생각도 '먼저'를 추가하여 '먼저 팀원들의 출퇴근 시간이 다르다면, 의사소통 시간도 줄어들어 업무에 영향을 줄지도 모른다.'와 같이 쓸 수 있습니다.

마지막으로 동등하게 나열할 때, '-고'를 사용할 수도 있습니다. [개요 2]에서 과제 3의 뒷받침 생각은 일의 성격(혼자서 할 수 있는 일과 협력이 필요한 일)에 따라 자율성이 다르다는(높거나 낮음) 것이었는데, [모범 답안 1]에서 이를 문장으로 만들 때 '-고'로 나열했습니다. 만약 여기에서 중급 문법을 사용하고 싶다면 '-고'대신 '-(으)며'도 괜찮습니다. [모범 답안 1]의 같은 문장을 '-(으)며'를 사용하여 나타낸다면, '혼자서 할 수 있는 일에는 자율성을 높이도록 하며, 협력이 필요한 일에는 자율성을 낮춰야 한다.'와 같이 쓸 수 있습니다.

② 장점과 문제점을 가정하고 추측하기

54번 문제는 사회적인 이슈나 개인의 가치관을 묻는 주제에 대해 생각을 쓰는 문제입니다. 보통 생각을 쓸 때는 내 생각이 100% 옳다고 쓰지는 않습니다. 장점과 문제점을 쓸 때도 보통은 이런 상황에서는 이런 장점이나 단점이 있을 것이고, 저런 상황에서는 저런 장점이나 단점이 있을 것이라고 쓰게 됩니다. 즉, 장점이 되거나 문제가 될 만한 상황을 가정해 보거나 추측해서 쓰는 것입니다. 밑줄 친 부분에 주의하여 [모범 답안 1]을 봅니다.

> **모범 답안 1**
>
> 많은 기업들이 직원들의 자율성을 높이기 위해 노력하고 있다. 이렇게 되면 먼저 가정에 도움이 될 것이다. 예를 들어 출퇴근 시간을 조정한다면, 아이가 학교에 가고 집에 오는 시간에 함께할 수 있을 것이다. 그리고 회사에서도 새로운 방법으로 일해 볼 수 있을 것이다. 예를 들면 그동안 자율성이 없었던 탓에 바꾸지 못한 업무 방식을 바꿀 수 있을 것이다.
>
> 그러나 개인의 자율성만 중시한다면, 같이 일하기 어려워질 수 있다. 팀원들의 출퇴근 시간이 다르다면, 의사소통 시간도 줄어들어 업무에 영향을 줄지도 모른다. 또한 자율성이 강조되어 노하우 전달을 중요하지 않게 생각한다면, 성과가 낮아질 수 있다. 한편 큰 프로젝트의 경우, 일정을 맞추거나 의견을 조정하는 과정이 필요한데, 자율성만 중시하다가는 진행이 어려워질 것이다.
>
> 이러한 문제를 해결하기 위해, 자율성을 어디까지 보장할 것인지 의논해야 한다. 혼자서 할 수 있는 일에는 자율성을 높이도록 하고, 협력이 필요한 일에는 자율성을 낮춰야 한다. (503자)

[모범 답안 1]에서는 <u>실선</u>의 문법과 표현으로 장점이 되거나 문제가 될 만한 상황을 가정하고, <u>이중 실선</u>의 문법과 표현으로 장점이나 문제점을 추측했습니다.

여기서 잠깐!

문법과 표현	가정하기	추측하기
	–(으)면 –(으)ㄹ 때 –(ㄴ/는)다면 –다가는 예를 들어/들면	–(으)ㄹ 것이다 –(으)ㄹ 수 있다/없다 –(으)ㄹ 수 있을/없을 것이다 –아/어질 것이다 –아/어질 수 있다 –아/어질 수 있을/없을 것이다 –(으)ㄹ지(도) 모르다

[모범 답안 1]에서 사용되지는 않았지만 '–(으)ㄹ 때'도 상황을 가정할 때 사용할 수 있습니다. 예를 들어 [모범 답안 1]의 네 번째 문장 '그리고 회사에서도 ~'에 '–(으)ㄹ 때' 문법을 추가하여, '그리고 회사에서도 <u>자율성이 높아졌을 때</u> 새로운 방법으로 일해 볼 수 있을 것이다'와 같이 쓸 수 있습니다. 가정하거나 추측하는 문법과 표현은 장점과 문제점을 쓸 때가 아니어도, 54번 문제에서 다양하게 사용할 수 있습니다. 앞에서도 말했듯이 생각을 쓸 때는 단정적으로 쓰지 않기 때문에, 54번 문제에서는 가정하거나 추측하는 문법을 많이 사용합니다.

9 원인, 필요성, 해결 방안 쓰기

1 원인과 필요성 쓰기

기출문제 2023년 91회 TOPIK II 54번

다음을 참고하여 600~700자로 글을 쓰시오. 단, 문제를 그대로 옮겨 쓰지 마시오. (50점)

> 오늘날 우리는 정보 통신 기술의 발달로 누구나 쉽게 정보를 생산하고 대중에게 전달할 수 있다. 그런데 정보의 생산과 유통을 통해 개인과 집단이 이익을 얻을 수도 있게 되면서 사실과 다른 가짜 뉴스가 늘어나고 있다. 아래의 내용을 중심으로 '가짜 뉴스의 등장'이 사회에 미치는 영향에 대한 자신의 생각을 쓰라.

- 가짜 뉴스가 생겨나는 사회적 배경은 무엇인가? ⟶ 원인
- 가짜 뉴스로 인해 어떤 문제가 생길 수 있는가? ⟶ 문제점
- 이런 문제들을 해결하기 위해서 어떤 방안이 필요한가? ⟶ 해결 방안

기출문제 2022년 83회 TOPIK II 54번

다음을 참고하여 600~700자로 글을 쓰시오. 단, 문제를 그대로 옮겨 쓰지 마시오. (50점)

> 창의력은 새로운 것을 생각해 내는 능력이다. 현대 사회는 개인에게 창의력을 더 많이 요구하고 있다. 아래의 내용을 중심으로 '창의력의 필요성과 이를 기르기 위한 노력'에 대한 자신의 생각을 쓰라.

- 창의력이 필요한 이유는 무엇인가? ⟶ 필요성
- 창의력을 발휘했을 때 얻을 수 있는 성과는 무엇인가? ⟶ 영향
- 창의력을 기르기 위해서 어떠한 노력을 할 수 있는가? ⟶ 노력

91회 문제의 과제 1에서는 '원인'을 작성하고, 83회 문제의 과제 1에서는 '필요성'을 작성해야 합니다. 그리고 앞에서 말했듯이 '필요성' 대신 '중요성'을 묻는 문제도 있습니다. 그러나 '필요성'이나 '중요성'은 필요하거나 중요한 '이유'를 말하는 것이므로, '원인'을 쓸 때와 크게 다를 게 없습니다. 91회, 83회 문제의 과제 1에 대한 개요와 모범 답안(밑줄 친 부분)을 봅니다.

개요1

• 가짜 뉴스가 생겨나는 사회적 배경은 무엇인가? (과제 1)

돈이 됨

↳ 유명한 사람, 클릭 = 돈

보고 싶은 것만 보기

↳ 한쪽 뉴스만 계속 봄

모범 답안 1

가짜 뉴스가 늘어나는 원인은, 우선 가짜 뉴스가 돈이 되기 때문이다. 예를 들어 유명한 사람에 대한 가짜 뉴스는 사람들이 많이 클릭하기 때문에 돈이 된다. 다음으로 사람들이 보고 싶은 콘텐츠만 보려고 해서 가짜 뉴스가 늘어나고 있다. 온라인에서는 한쪽의 뉴스만 계속 볼 수 있기 때문에 링크를 따라가다가 가짜 뉴스까지 보는 것이다.

개요2

• 창의력이 필요한 이유는 무엇인가? (과제 1)

사회 복잡 & 빠르게 변함

↳ 원래 방법 → 문제 해결 X

경쟁 심한 사회

↳ 남과 다른 결과

모범 답안 2

창의력은 새로운 것을 만들어 내는 능력이다. 창의력이 필요한 이유는, 먼저 사회가 복잡하고 빠르게 변하고 있어 원래의 방법으로는 문제 해결이 어렵기 때문이다. 다음으로 경쟁이 심한 사회일수록 남과 다른 결과를 만들어야 하기 때문에 창의력이 필요하다.

단어

• **클릭**(click / 点击 / việc kích chuột): 컴퓨터 마우스의 단추를 누름. 또는 그런 행동.

단어

• **콘텐츠**(contents / 内容 / nội dung): 인터넷이나 컴퓨터 통신 등을 통하여 제공되는 각종 정보나 그 내용물.

• **링크**(link / 链接 / liên kết): 인터넷에서 지정한 파일이나 페이지로 이동할 수 있도록 홈페이지를 서로 연결하는 것.

'원인/이유'나 '필요성/중요성'을 이야기할 때는 이런 현상이 나타나게 된 '원인/이유', 무엇이 '필요한/중요한' 이유는 무엇 때문이라고 쓰거나, 무엇(원인/이유) 때문에, 어떤 문제가 생겼다거나 무엇이 필요/중요하다는(필요성/중요성) 식으로 쓰므로, 아래와 같은 문법과 표현을 사용할 수 있습니다.

여기서 잠깐!

	원인/이유, 필요성/중요성	
문법과 표현	–는 원인은/이유는 –이/가 필요한/중요한 이유는	–기 때문이다
	–기 때문에 –아/어/여서 –(으)므로	–ㄴ/는다 –는 것이다 –고 있다 –이/가 필요하다/중요하다
	–기 위해(서는)	–이/가 필요하다/중요하다

[모범 답안 1]에서 사용되지는 않았지만 '–(으)므로'도 원인을 말할 때 사용할 수 있습니다. 예를 들어 [모범 답안 1]의 네 번째 문장 '온라인에서는 한쪽의 ~'에서 '–기 때문에' 대신 '–(으)므로'를 사용하여 '온라인에서는 한쪽의 뉴스만 계속 볼 수 있으므로, 링크를 따라가다가 가짜 뉴스까지 보는 것이다.'와 같이 쓸 수 있습니다. 그리고 [모범 답안 2]에서 사용되지는 않았지만 '–기 위해(서는)'도 필요성/중요성을 말할 때 사용할 수 있습니다. 예를 들어 [모범 답안 2]의 세 번째 문장 '다음으로 경쟁이 ~'에서 '–아/어야 하기 때문에' 대신 '–기 위해(서는)'를 사용하여, '다음으로 경쟁이 심한 사회일수록 남과 다른 결과를 만들기 위해서는 창의력이 필요하다.'와 같이 쓸 수 있습니다. 한편, 91회, 83회 문제에 대한 개요와 모범 답안 전체는 다음과 같습니다.

개요 3

- 가짜 뉴스가 생겨나는 사회적 배경은 무엇인가? (과제 1)

  돈이 됨

  ↳ 유명한 사람, 클릭 = 돈

  보고 싶은 것만 보기

  ↳ 한쪽 뉴스만 계속 봄

- 가짜 뉴스로 인해 어떤 문제가 생길 수 있는가? (과제 2)

  가짜, 진짜 구별 X → 진짜 못 믿음

  ↳ 뉴스 전체 못 믿음

  피해 보는 사람 ○

  ↳ 가수, 배우, 정치인

- 이런 문제들을 해결하기 위해서 어떤 방안이 필요한가? (과제 3)

  처벌

  플랫폼

  개인, 채널 비교

모범 답안 3

　가짜 뉴스가 늘어나는 원인은, 우선 가짜 뉴스가 돈이 되기 때문이다. 예를 들어 유명한 사람에 대한 가짜 뉴스는 사람들이 많이 클릭하기 때문에 돈이 된다. 다음으로 사람들이 보고 싶은 콘텐츠만 보려고 해서 가짜 뉴스가 늘어나고 있다. 온라인에서는 한쪽의 뉴스만 계속 볼 수 있기 때문에 링크를 따라가다가 가짜 뉴스까지 보는 것이다.

　그러나 가짜 뉴스는 여러 가지 문제를 발생시킨다. 첫째, 가짜 뉴스를 많이 보게 되면, 가짜 뉴스와 진짜 뉴스를 구별하기 어려워지게 되어, 진짜 뉴스까지 믿기 어려워질 것이다. 즉, 뉴스 전체를 못 믿게 되는 것이다. 둘째, 가짜 뉴스로 피해를 보는 사람들이 생길 것이다. 실제로 많은 가수, 배우, 정치인들이 가짜 뉴스로 인해 피해를 보고 있다.

　이러한 문제를 해결하기 위해서는 먼저 가짜 뉴스를 만드는 사람들을 무겁게 처벌해야 한다. 다음으로 플랫폼에서도 가짜 뉴스 채널들을 막아야 한다. 마지막으로 개인들은 여러 채널을 비교하면서 가짜 뉴스를 구별해야 한다. (502자)

단어

- **플랫폼**(platform / 平台 / nền tảng) : 정보 시스템 환경을 구축하고 개방하여 누구나 다양하고 방대한 정보를 쉽게 활용할 수 있도록 제공하는 기반 서비스.
- **채널**(channel / 频道 / kênh) : 텔레비전, 라디오, 무선 통신 등에서 주파수대에 따라 각 방송국에 나누어 준 전파의 전송 통로.

개요 4

- 창의력이 필요한 이유는 무엇인가? (과제 1)
  사회 복잡 & 빠르게 변함
  ↳ 원래 방법 → 문제 해결 X
  경쟁 심한 사회
  ↳ 남과 다른 결과
- 창의력을 발휘했을 때 얻을 수 있는 성과는 무엇인가? (과제 2)
  과학, 기술 → 생활
  ↳ 로봇, AI
  문화 · 예술, 전통 → 새롭게
  ↳ 케이팝 데몬 헌터스
- 창의력을 기르기 위해서 어떠한 노력을 할 수 있는가? (과제 3)
  다양한 경험
  ↳ 새로운 아이디어 쉽게
  사회, 자유로운 분위기

모범 답안 4

창의력은 새로운 것을 만들어 내는 능력이다. 창의력이 필요한 이유는, 먼저 사회가 복잡하고 빠르게 변하고 있어 원래의 방법으로는 문제 해결이 어렵기 때문이다. 다음으로 경쟁이 심한 사회일수록 남과 다른 결과를 만들어야 하기 때문에 창의력이 필요하다.

창의력을 발휘했을 때 우리는 다양한 분야에서 성과를 얻을 수 있다. 먼저 과학 분야에서 새로운 기술을 일상생활에 반영하여 성과를 낼 수 있다. 우리가 사용하고 있는 로봇 기술과 AI 기술은 창의력의 결과라고 말할 수 있다. 다음으로 문화, 예술에서도 창의력을 발휘하여 전통문화를 새롭게 만들 수 있다. 예를 들어 '케이팝 데몬 헌터스' 같은 영화는 케이팝에 한국의 전통문화를 더해 성공했다.

창의력을 키우기 위해서는 우선 다양한 경험을 하는 것이 중요하다. 다양한 경험을 통해 새로운 아이디어도 쉽게 떠올릴 수 있을 것이다. 그리고 사회에서도 사람들이 실패를 걱정하지 않고 마음껏 도전할 수 있도록 자유로운 분위기를 만들어 줘야 할 것이다. (499자)

② 해결 방안 쓰기

앞에서 과제 3은 대부분 해결 방안을 쓰는 것이라고 했습니다. 그리고 몇 가지 해결 방안들을 생각했다면, 이를 동등하게 나열하라고 했습니다. 96회, 91회, 83회의 과제 3과 과제 3의 모범 답안을 다시 한번 봅니다.

기출문제	과제3
96회	이런 문제(직장과 개인의 자율성)를 해결하기 위해서는 어떻게 해야 하는가?
91회	이런 문제들(가짜 뉴스)을 해결하기 위해서 어떤 방안이 필요한가?
83회	창의력을 기르기 위해서 어떠한 노력을 할 수 있는가?

기출문제	과제3의 모범 답안
96회	이러한 문제를 해결하기 위해, 자율성을 어디까지 보장할 것인지 의논해야 한다. 혼자서 할 수 있는 일에는 자율성을 높이도록 하고, 협력이 필요한 일에는 자율성을 낮춰야 한다.
91회	이러한 문제를 해결하기 위해서는 먼저 가짜 뉴스를 만드는 사람들을 무겁게 처벌해야 한다. 다음으로 플랫폼에서도 가짜 뉴스 채널들을 막아야 한다. 마지막으로 개인들은 여러 채널을 비교하면서 가짜 뉴스를 구별해야 한다.
83회	창의력을 키우기 위해서는 우선 다양한 경험을 하는 것이 중요하다. 다양한 경험을 통해 새로운 아이디어도 쉽게 떠올릴 수 있을 것이다. 그리고 사회에서도 사람들이 실패를 걱정하지 않고 마음껏 도전할 수 있도록 자유로운 분위기를 만들어 줘야 할 것이다.

해결 방안 단락의 논리적 흐름을 살펴보면, 어떤 문제를 해결하거나 무엇을 잘하기 위해서는 무엇 무엇을 해야 한다는 글의 흐름이 보일 것입니다. 따라서 해결 방안 단락을 시작할 때는 '이러한 문제를 해결하기 위해(서는)'이나 '-기 위해(서는)'과 같은 표현을 사용합니다. 그리고 해결 방안을 쓸 때는 글쓴이의 생각이 분명하게 드러나도록 '의무/의지'를 나타내거나 '필요성/중요성'을 나타내는 문법과 표현을 사용하게 됩니다. 과제3의 완성된 글에서 밑줄 친 부분은 모두 이런 문법과 표현들입니다.

여기서 잠깐!

		해결 방안
문법과 표현	이러한 문제를 해결하기 위해(서는) –기 위해(서는) –(으)ㄹ 수 있도록	–아/어/여야 하다/되다 –아/어/여야 할 것이다 –아/어/여야 될 것이다
	–기 위해(서는)	–이/가 중요하다/필요하다 –(으)ㄹ 필요성이/필요가 있다 –는 것도 좋은 방법이다 –는 것도 좋은 방법일 것이다
	–을/를 통해(서)	–(으)ㄹ 수 있다 –(으)ㄹ 수 있을 것이다 –아/어/여야 하다/되다 –아/어/여야 할 것이다 –아/어/여야 될 것이다
		–도록 하다

연습 문제

※ [1~3] 다음을 참고하여 400~500자나 600~700자(선택)로 글을 쓰시오.
단 문제를 그대로 옮겨 쓰지 마시오. (50점)

1.

> 최근 ChatGPT와 같은 챗봇 AI의 사용이 증가하고 있다. 챗봇 AI는 사용자의 의도를 분석하여 인간과 유사한 방식으로 검색 결과를 제공하는 등의 장점이 있지만, 때로는 잘못된 정보를 사실처럼 만들어 내는 등의 문제점도 있다. 아래 내용을 중심으로 '챗봇 AI의 문제점과 해결 방안'에 대한 자신의 생각을 쓰라.
>
> • 챗봇 AI를 사용했을 때 좋은 점은 무엇인가?
> • 챗봇 AI가 제공하는 답변에서 무엇이 문제가 되는가?
> • 이런 문제를 최소화하기 위해서는 어떻게 해야 하는가?

※ 책 뒤의 원고지에 써 보십시오. 원고지는 500자나 700자 중에서 선택하십시오.

2.

> 관광지에 지나치게 많은 관광객이 몰려 지역 주민의 삶과 환경에 부정적인 영향을 미치는 현상을 '오버 투어리즘'이라고 한다. 우리는 종종 세계적으로 유명한 관광지에서 '오버 투어리즘' 문제로 관광객과 지역 주민 사이에 갈등이 발생했다는 소식을 듣곤 한다. 아래 내용을 중심으로 '오버 투어리즘 문제'에 대한 자신의 생각을 쓰라.
>
> • 오버 투어리즘이 발생하는 원인은 무엇인가?
> • 오버 투어리즘으로 인해 어떤 문제가 생길 수 있는가?
> • 이런 문제들을 해결하기 위해서 어떤 방안이 필요한가?

※ 책 뒤의 원고지에 써 보십시오. 원고지는 500자나 700자 중에서 선택하십시오.

3.

> 가치 있는 것이나 목표한 것을 얻기 위해 어려움에 맞서는 것을 도전이라고 한다. 도전은 개인의 성장을 위한 필수적인 과정이지만, 도전에는 항상 실패가 따르기 마련이다. 아래의 내용을 중심으로 '도전의 중요성과 실패를 받아들이는 태도'에 대한 자신의 생각을 쓰라.

- 도전이 중요한 이유는 무엇인가?
- 도전과 실패의 관계는 어떠한가?
- 실패가 다시 도전으로 이어지도록 하려면 어떻게 해야 하는가?

※ 책 뒤의 원고지에 써 보십시오. 원고지는 500자나 700자 중에서 선택하십시오.

PART
2
실전
모의고사

실전 모의고사

제1회 실전 모의고사

※ [51~52] 다음 글의 ㉠과 ㉡에 알맞은 말을 각각 쓰시오. (각 10점)

51.

> ### 한국 전통의 맛을 즐겨 보세요!
>
> 안녕하세요, 한국 요리 동아리입니다.
> 겨울을 맞아 외국인 유학생을 대상으로 '김치 만들기' 수업을 (㉠   ). 이번 수업에서는 배추김치, 열무김치 등 다양한 김치를 직접 담가 보고, 김치를 활용한 여러 가지 요리도 함께 체험할 수 있습니다. 서울에 거주하는 유학생이라면 누구나 참여할 수 있습니다.
> 한국의 식문화에 관심 있는 유학생 여러분의 많은 (㉡   ).
> 감사합니다.

㉠ ____

㉡ ____

52.

> 커피는 언제 마시는 것이 좋은가? 일반적으로 사람들은 아침에 커피를 마신다. 커피에 카페인 성분이 있어서 집중력을 향상시키는 데 도움이 되기 때문에 (㉠   ). 그런데 아침 식사 전에 커피를 마시면 위가 자극을 받을 수 있다. 따라서 위 건강을 위해 아침 식사 후에 커피를 마시는 것이 좋다. 만약 (㉡   ) 커피를 피하는 것이 더 낫다.

㉠ ____

㉡ ____

53. 다음을 참고하여 '일회용 컵 사용량 변화'에 대한 글을 200~300자로 쓰시오. 단, 글의 제목은 쓰지 마시오. (30점)

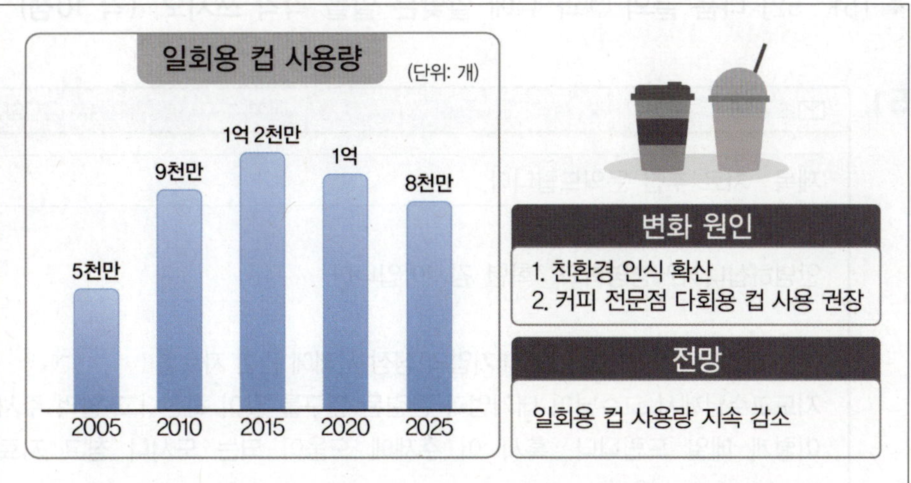

<u>※ 책 뒤의 원고지에 써 보십시오.</u>

54. 다음을 참고하여 400~500자나 600~700자(선택)로 글을 쓰시오. 단 문제를 그대로 옮겨 쓰지 마시오. (50점)

> 　최근 여러 나라에서 수업 중 스마트폰 사용을 금지하고 있다. 한국에서도 앞으로 전국의 모든 초·중·고등학교에서 수업 중 스마트폰 사용이 법적으로 금지된다. 아래의 내용을 중심으로 '수업 중 스마트폰 사용 금지'에 대한 자신의 생각을 쓰라.
>
> - 수업 중 스마트폰 사용이 금지되었을 때의 장점은 무엇인가?
> - 수업 중 스마트폰 사용을 금지했을 때 생기는 문제는 무엇인가?
> - 이런 문제를 해결하기 위해서는 어떻게 해야 하는가?

<u>※ 책 뒤의 원고지에 써 보십시오. 원고지는 500자나 700자 중에서 선택하십시오.</u>

제2회 실전 모의고사

※ [51~52] 다음 글의 ㉠과 ㉡에 알맞은 말을 각각 쓰시오. (각 10점)

51.

✉ E-mail	_ㅁ✕

제목 : 자료 추천 문의드립니다.

김영미 교수님께,
안녕하십니까? 경영학과 4학년 김서아입니다.

저는 졸업 논문 준비를 위해 대기업의 성장 사례에 관한 자료를 (　　㉠　　).
지도교수님께서 교수님이 대기업과 관련된 연구를 많이 하신다고 알려 주셔서
이렇게 메일 드립니다. 혹시 이 주제에 도움이 되는 도서나 참고 자료를
(　　㉡　　)?

한국에 돌아가면 직접 찾아뵙고 감사 인사를 드리겠습니다.
바쁘신데 귀한 시간을 내 주셔서 감사합니다.

김서아 올림

㉠ ______________________________

㉡ ______________________________

52.

　　가을이 되면 나무의 잎이 서서히 노랗게 변하다가 낙엽이 떨어진다. 낮의 길이가
짧아지고 기온이 낮아지면 나무는 물과 영양분의 손실을 막기 위해 잎으로 물을
보내지 않기 때문이다. 그 결과 잎은 점차 마르고 약해져 마침내 (　　㉠　　).
이렇게 떨어진 낙엽은 땅에 쌓여 썩으면서 다시 나무의 영양분으로 돌아간다.
결국 낙엽은 나무가 죽어가는 것이 아니라 추운 겨울을 준비하는 (　　㉡　　).

㉠ ______________________________

㉡ ______________________________

53. 다음을 참고하여 '전기차 구매'에 대한 글을 200~300자로 쓰시오. 단 글의 제목을 쓰지 마시오. (30점)

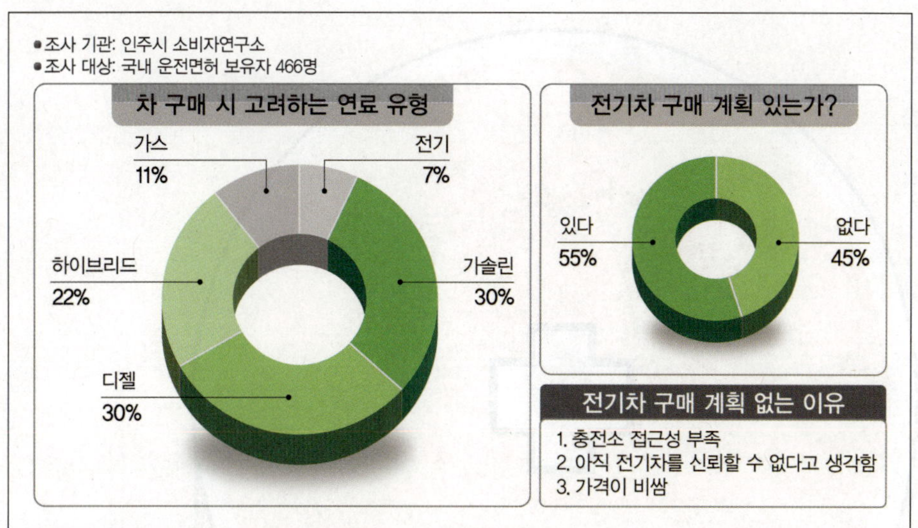

<u>※ 책 뒤의 원고지에 써 보십시오.</u>

54. 다음을 참고하여 400~500자나 600~700자(선택)로 글을 쓰시오. 단 문제를 그대로 옮겨 쓰지 마시오. (50점)

> 　다른 사람이 말하는 것을 귀를 기울여 듣는 것을 '경청'이라고 한다. 의사소통을 성공적으로 하기 위해서는 '경청'이 필요하지만, '경청'은 생각보다 쉬운 일이 아니다. 아래 내용을 중심으로 '경청의 중요성과 이를 기르기 위한 노력'에 대한 자신의 생각을 쓰라.

- 경청이 중요한 이유는 무엇인가?
- 언제 경청에 실패하며, 이 경우 어떤 문제가 발생하는가?
- 다른 사람의 말을 경청하기 위해 어떠한 노력을 할 수 있는가?

<u>※ 책 뒤의 원고지에 써 보십시오. 원고지는 500자나 700자 중에서 선택하십시오.</u>

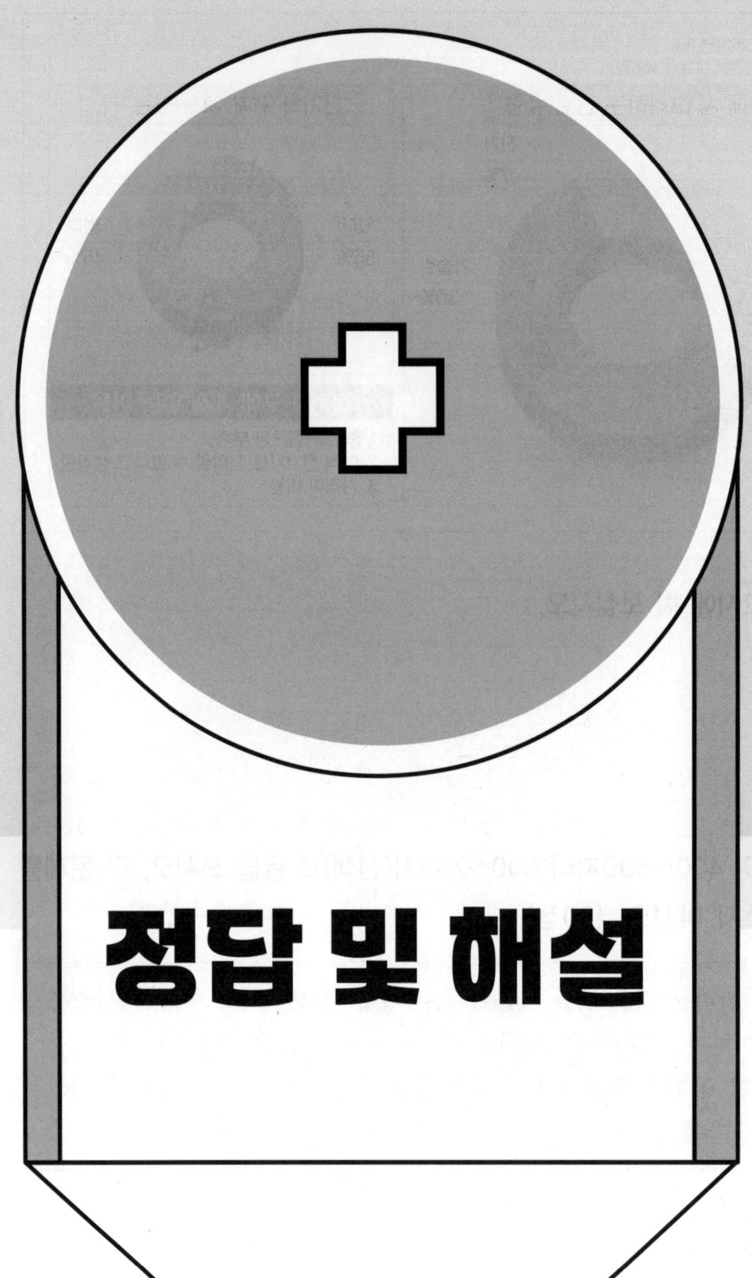

정답 및 해설

PART 1 전략 연습 문제 정답 및 해설

PART 2 실전 모의고사 정답 및 해설

1 실용문 4단계로 완성하기　　　　　　　　　　　　　p.27

1. 모범 답안　　　　　　　　　　　　　　　　　　　　≫ p.27

㉠: 받고 싶습니다/받고자 합니다/받으려고 합니다

㉡: 뵈러 가도 되겠습니까/찾아 뵈어도 되겠습니까

해설

풀이 단계	해설
1 글의 종류와 대상 파악하기	글의 종류: 이메일 글의 대상: 교수님 (특정 대상)
2 글의 목적 확인하기	이 글은 교수님께 진로 상담 일정을 문의하는 이메일입니다.
3 앞뒤 내용에 어울리는 어휘·문법 생각하기	㉠ 앞의 내용을 보면 글쓴이가 상담을 원한다는 의도가 나타나므로, 문맥상 '받다'라는 어휘와, '-고 싶습니다'나 '-고자 합니다'라는 문법을 사용해서 답안을 작성하면 됩니다. ㉡ 앞의 '찾아 뵙다'라는 표현과 '이번 주에 금요일'이라는 말이 있으므로, 상담 시간을 문의하고 싶어하는 것을 알 수 있습니다. 따라서 '뵈러 가다'나 '찾아 뵙다'라는 표현과 '-(스)ㅂ니까?'라는 문법을 결합해서 작성하면 됩니다.
4 오류 점검하기	선택한 단어와 문법의 호응이 잘 어우러졌는지 확인합니다. 그리고 맞춤법과 조사, 높임말에 틀린 부분이 있는지도 점검합니다.

2. 모범 답안　　　　　　　　　　　　　　　　　　　　≫ p.27

㉠: 챙겨 주시기 바랍니다/지참해 주시기 바랍니다/준비해 주시기 바랍니다

㉡: 양해 부탁드립니다/유의 부탁드립니다

해설

풀이 단계	해설
1 글의 종류와 대상 파악하기	글의 종류: 안내문 글의 대상: 불특정 대상
2 글의 목적 확인하기	이 글은 경주 템플스테이 체험에 대한 안내문입니다.

<table>
<tr><td>③ 앞뒤 내용에 어울리는 어휘·
문법 생각하기</td><td>㉠ 앞의 내용을 보면 비가 오는 상황에 대비하라는 말을 추측할 수 있습니다. 이런 점을 고려하여 '준비하다'라는 표현과 불특정 대상에 요청할 때 자주 쓰이는 '-아/어/여 주시기 바랍니다'라는 문법을 사용해서 답안을 작성하면 됩니다.
㉡ 앞에 '어려울 수 있다'라는 말이 있으므로, 이해를 구하는 '양해'라는 표현과 '-부탁 드립니다'라는 문법을 활용해서 작성하면 됩니다.</td></tr>
<tr><td>④ 오류 점검하기</td><td>선택한 단어와 문법의 호응이 잘 어우러졌는지 확인합니다. 그리고 맞춤법과 불특정 대상을 위한 문법 표현에 틀린 부분이 있는지도 점검합니다.</td></tr>
</table>

3. 모범 답안 ≫ p.28

㉠: 빌려 줘서/빌려 주셔서

㉡: 맡겨 두었습니다

해설

풀이 단계	해설
① 글의 종류와 대상 파악하기	글의 종류 : 문자 메시지 글의 대상 : 선배/친구 (특정 대상)
② 글의 목적 확인하기	이 글은 선배/친구에게 감사하는 마음을 전달하는 문자 메시지입니다.
③ 앞뒤 내용에 어울리는 어휘· 문법 생각하기	㉠ 뒤의 내용에서 '자료를 돌려드리다'라는 표현이 제시되어 있으므로, 문맥상 '빌려 주다'나 '빌려 주시다'라는 어휘와 '-아/어/여서'라는 문법을 사용해서 답안을 작성하면 됩니다. ㉡ 앞에 있는 '보미 씨가 안 계시다'라는 표현과, 뒤에 있는 '맡겨 둔 자료'라는 표현도 있으므로, 전체 내용과 호응하는 '맡겨 두다'라는 단어와 과거형을 알려 주는 '-았/었/였습니다'라는 문법을 사용하면 적절합니다.
④ 오류 점검하기	선택된 단어와 문법의 호응이 잘 어우러졌는지 확인합니다. 그리고 맞춤법과 높임말에 틀린 부분이 있는지도 점검합니다.

4. 모범 답안 ≫ p.28

㉠: 필요하다고 합니다/있어야 한다고 합니다

㉡: 해야 합니까/해야 됩니까

해설

풀이 단계	해설
1 글의 종류와 대상 파악하기	글의 종류 : 인터넷 글 글의 대상 : 불특정 대상
2 글의 목적 확인하기	이 글은 은행 계좌를 개설하는 방법을 문의하는 인터넷 글입니다.
3 앞뒤 내용에 어울리는 어휘·문법 생각하기	㉠ 글의 제목과 앞의 내용을 통해 글쓴이가 은행 계좌를 만들고자 한다는 점을 알 수 있으므로, 빈칸에 '필요하다'나 '있어야 하다'라는 표현이 들어가야 합니다. 또한, '친구에게 물어보니'라는 말이 있으므로, 간접적으로 전달할 때 쓰이는 '-ㄴ/는다고 합니다'라는 문법을 활용해서 답안을 작성하면 됩니다. ㉡ 뒤 문장에서 '은행 계좌를 개설하는 방법을 안내해 주시다'라는 표현이 제시된 점을 통해, 글쓴이가 계좌 개설 방법을 알고자 하고 있음을 알 수 있습니다. 이에 따라서 '하다'라는 단어와 '-아/어/여야 합니까' 또는 '-아/어/여야 됩니까'라는 문법을 사용해서 작성하면 됩니다.
4 오류 점검하기	선택한 단어와 문법의 호응이 잘 어우러졌는지 확인합니다. 그리고 맞춤법과 불특정 대상을 위한 문법 표현에 틀린 부분이 있는지도 점검합니다.

5. 모범 답안 ≫ p.29

㉠: 참석해 주시기 바랍니다

㉡: 공유하고 싶은

해설

풀이 단계	해설
1 글의 종류와 대상 파악하기	글의 종류 : 초대장 글의 대상 : 불특정 대상
2 글의 목적 확인하기	이 글은 졸업 축하 환송회에 초대하는 글입니다.
3 앞뒤 내용에 어울리는 어휘·문법 생각하기	㉠ 앞 문장에 '초대합니다'라는 말이 있고, 또 그 앞에 '바쁘시다'는 말과 대조되는 '-더라도'가 있으므로, 문맥상 '참석하다'라는 어휘와 불특정 대상한테 부탁할 때 쓰이는 '-아/어/여 주시기 바랍니다'라는 표현을 사용해서 답안을 작성하면 됩니다. ㉡ 앞에 있는 '취업 경험을 공유할 수 있는 시간을 가질 계획이다'라는 내용이 있으므로, 문맥상 '공유하다'라는 단어와 '-고 싶다'라는 문법을 사용하면 적절합니다.

4 오류 점검하기	선택한 단어와 문법의 호응이 잘 어우러졌는지 확인합니다. 그리고 맞춤법과 불특정 대상을 위한 문법 표현에 틀린 부분이 있는지도 점검합니다.

2 설명문 4단계로 완성하기   p.34

1. 모범 답안   ≫ p.34

㉠: 구조로 만들어야 한다
㉡: 자재도 함께 사용해야 한다고 한다

해설

풀이 단계	해설
1 글의 목적 확인하기	이 글은 지진에 안전한 건물을 짓기 위한 방법에 대해 설명하는 글입니다.
2 연결 표현 확인하기	'그래서'는 원인·결과의 전개 방식에, '그런데'는 대조의 전개 방식에, '-기 때문이다'는 이유 설명 전개 방식에 사용된다는 것을 확인할 수 있습니다.
3 앞뒤 내용에 어울리는 어휘·문법 생각하기	㉠ 뒤 문장에서 대조의 의미를 나타나는 '그런데'라는 접속사와, '지진에 강한 구조로 만들 뿐만 아니라'라는 내용이 있으므로, 그 앞 문장에서 언급된 내용이 다시 강조되는 것을 알 수 있습니다. 또한 바로 앞에 '지진에 강하다'라는 표현이 있으므로, 이에 호응하는 '구조로 만들다'라는 표현과 '-아/어/여야 한다'라는 문법을 결합하면 문장을 완성할 수 있습니다. ㉡ 뒤 문장에서 지진에 튼튼한 자재를 사용하는 이유가 설명되고 있으므로, 문맥상 빈칸에는 지진에 튼튼한 자재 사용에 관련된 내용이 들어가야 합니다. 따라서 이 내용을 자연스럽게 전달하기 위해 '-도 함께', 그리고 앞에 '전문가들'이라는 표현이 있으므로, 간접인용을 나타내는 '-ㄴ/는다고 하다'라는 문법을 활용해서 답안을 작성하면 됩니다.
4 오류 점검하기	선택한 단어와 문법의 호응이 잘 어우러졌는지 확인합니다. 그리고 맞춤법과 조사에 틀린 부분이 있는지도 점검합니다.

2. 모범 답안 ≫ p.34

㉠: 약해지게 된다

㉡: 보충하지 않으면

해설

풀이 단계	해설
1 글의 목적 확인하기	이 글은 환절기에 면역력이 약해지는 원인과 이를 강화하는 방법에 대해 설명하는 글입니다.
2 연결 표현 확인하기	'이로 인해', '따라서' 등 접속사를 통해 글에서 '원인/결과' 전개 방식이 사용되는 것을 확인할 수 있습니다.
3 앞뒤 내용에 어울리는 어휘·문법 생각하기	㉠ 앞에 환절기에 면역력이 평소보다 약해지는 원인과, 그 결과를 나타내는 '이로 인해'라는 접속사가 있습니다. 따라서 앞 문장과 자연스럽게 호응하도록 '약해지다'라는 어휘와 '-게 되다'라는 문법을 사용해서 답안을 작성하면 됩니다. ㉡ 앞에 '영양분을 충분히 보충해야 한다'라는 말이 제시되어 있고, 뒤에 '감기에 걸리거나 쉽게 피로해지다'라는 부정적인 결과가 나타나므로, 이와 자연스럽게 이루어질 수 있는 '보충하지 않다'라는 표현과 '-(으)면'이라는 문법을 사용하면 적절합니다.
4 오류 점검하기	선택된 단어와 문법의 호응이 잘 어우러졌는지 확인합니다. 그리고 맞춤법과 조사에 틀린 부분이 있는지도 점검합니다.

3. 모범 답안 ≫ p.35

㉠: 볼 수 없을 것이다

㉡: 가까운 곳에 있다/가까운 곳에 위치해 있다

해설

풀이 단계	해설
1 글의 목적 확인하기	이 글은 밤하늘에서 달을 볼 수 있는 이유에 대해 설명하는 글입니다.
2 연결 표현 확인하기	'-기 때문이다'는 이유 설명의 전개 방식에, '만약'은 가정의 전개 방식에, '또한'은 나열의 전개 방식에, '이렇게'는 유추의 전개 방식에 사용된다는 것을 확인할 수 있습니다.

3 앞뒤 내용에 어울리는 어휘·문법 생각하기	㉠ 앞에 태양 빛 덕분에 우리가 달을 볼 수 있다는 내용이 제시되어 있고, 또 논리적으로 '만약 태양 빛이 달에 비추어지지 않는다면'이라는 말과 호응을 이루어야 하므로, '보다'라는 단어와 '-(으)ㄹ 수 없다'라는 문법을 사용하면 문장을 완성할 수 있습니다.	
	㉡ 뒤 문장에 '이렇게 가까운 거리 덕분에'라는 내용이 있으므로, 문맥상 빈칸에 가까운 거리에 관련된 내용이 들어가야 합니다. 따라서 '가까운 곳'이라는 표현과 '-에 있다'나 '-에 위치해 있다'라는 표현을 사용해서 답안을 작성하면 됩니다.	
4 오류 점검하기	선택된 단어와 문법의 호응이 잘 어우러졌는지 확인합니다. 그리고 맞춤법과 조사에 틀린 부분이 있는지도 점검합니다.	

4. 모범 답안 ≫ p.35

㉠: 집중할 수 있도록 하는/집중할 수 있도록 지원하는
㉡: 대신하는 것이 아니라

해설

풀이 단계	해설
1 글의 목적 확인하기	이 글은 기업이 인공지능을 적용하는 목적에 대해 설명하는 글입니다.
2 연결 표현 확인하기	'이렇게'는 유추의 전개 방식에, '즉'은 환언의 전개 방식에 사용된다는 것을 확인할 수 있습니다.
3 앞뒤 내용에 어울리는 어휘·문법 생각하기	㉠ 뒤 문장에 '직원들이 핵심 업무에 집중하게 되면'이라는 내용이 있으므로, 문맥상 빈칸에 이에 관련된 내용이 들어가야 합니다. 따라서 '집중하다'라는 어휘와 목적을 강조하는 '-(으)ㄹ 할 수 있도록 하다'라는 표현을 활용해서 답안을 작성하면 됩니다. ㉡ 앞에 '즉' 접속사가 있으므로, 앞의 전체 내용을 요약하거나 정리하는 목적을 알 수 있습니다. 따라서 앞에 '단순히'라는 말에 자연스럽게 이어질 수 있도록 '일을 하다'라는 표현과 '-ㄴ/는 것이 아니라'라는 문법을 결합해서 답안을 작성하면 됩니다.
4 오류 점검하기	선택된 단어와 문법의 호응이 잘 어우러졌는지 확인합니다. 그리고 맞춤법과 조사에 틀린 부분이 있는지도 점검합니다.

5. 모범 답안 ≫ p.36

㉠: 다시 도전하는 것이다/다시 시작하는 것이다

㉡: 이후의 결과가 달라질 수 있다

해설

풀이 단계	해설
1 글의 목적 확인하기	이 글은 실패를 대하는 사람의 태도에 따라 결과가 달라질 수 있다는 것을 설명하는 글입니다.
2 연결 표현 확인하기	'하나', '다른 하나'는 나열의 전개 방식에 사용된다는 것을 확인할 수 있습니다.
3 앞뒤 내용에 어울리는 어휘·문법 생각하기	㉠ 나열의 의미를 전달할 수 있도록 앞에 있는 '도전하다'나 뒤에 있는 '시작하다'라는 표현, 그리고 반복적인 행동을 나타내는 '다시'라는 부사를 사용하면 문장을 완성할 수 있습니다. ㉡ 앞 문장에서 두 가지의 태도에 따라 서로 다른 성장 결과가 나타난다고 했으므로, 문맥상 '성장 결과가 다르다'라는 표현이 들어가야 합니다. 또한 '−에 따라'라는 말과 호응할 수 있도록, 변화 가능성을 나타내는 '−아/어질 수 있다'라는 문법 표현을 사용해서 답안을 작성하면 됩니다.
4 오류 점검하기	선택된 단어와 문법의 호응이 잘 어우러졌는지 확인합니다. 그리고 맞춤법과 조사에 틀린 부분이 있는지도 점검합니다.

4   변화와 원인을 분석하여 제시하기   p.52

1. **모범 답안**   ≫ p.52

　코로나19 이후 영화관 관객 수는 큰 변화를 겪었다. 2019년에 약 3억 명에 달했던 관객 수는 2020년에 2억 명 미만으로 급격히 감소하다가 점차 회복세를 보이며 다시 증가한 것으로 나타났다. 2020년부터 2021년에는 관객 수가 약 50%나 증가해 빠른 회복 속도를 보여 주었다. 2020년까지의 감소는 코로나19 확산에 따른 사회적 거리두기 시행으로 관객 수가 줄어든 데에서 비롯된 것으로 보인다. 이후 사회적 거리두기 해제와 다양한 콘텐츠의 출시로 수요가 점차 회복된 것으로 해석된다. (279자)

해설

　이 그래프에서는 전반적인 변화와 함께 두 가지 특이점을 제시할 수 있습니다. 특히 관객 수가 급감한 뒤 다시 증가하는 추세와, 2020년부터 2021년까지 약 50%나 증가한 수치를 구체적으로 설명하는 것이 중요합니다. 이어서 원인을 설명할 때 이 그래프에서는 전체적인 변화의 흐름 속에서 왜 이러한 변화가 시작되었는지, 그리고 어떤 요인으로 회복이 가능했는지를 설명하는 것이 중요합니다. 따라서 관객 수가 약 50% 급감하던 시기의 시대적 상황과, 이후 다시 회복되던 시기의 조건을 정확히 파악하여 제시하는 것이 핵심적인 해설 포인트입니다. 이때 원인 표현 '–에서 비롯된 것이다'와 '–은/는 것으로 해석된다' 등 표현을 사용하여 원인을 제시하는 것이 좋습니다.

2. **모범 답안**   ≫ p.53

　한국부동산원의 조사에 따르면, 최근 한국의 아파트 매매량은 꾸준히 증가하다가 2020년 이후 소폭으로 감소했다. 2010년에 약 11만 건에 불과했던 매매량은 시간이 지나면서 지속적으로 증가하여 2020년에 20만 건을 기록했다. 10년 사이에 약 9만 건이 늘어난 것이다. 2020년 이후의 감소는 두 가지 주요 요인에서 비롯된 것으로 보인다. 첫째, 부동산 규제 강화로 매매 활동이 위축되었다. 둘째, 경제적 불확실성이 커지면서 주택 구매를 미루는 경향이 나타났다. (263자)

해설

　이 그래프에서는 전체적인 변화와 함께 최고치와 증가 폭을 확인할 수 있습니다. 특히 2020년에 20만 건으로 가장 높은 수치를 기록한 점, 그리고 10년 동안 9만 건이 증가한 점을 중심으로 설명할 수 있습니다. 또한 이 그래프에서는 아파트 매매량이 감소한 이유를 함께 제시해야 합니다. 제시된 두 가지 원인은 서로 병행 관계이므로, '먼저–그 다음으로', '첫째–둘째'와 같은 표현을 사용해 논리적으로 정리하면 됩니다.

5 설문 조사 결과 보고하기 p.64

1. 모범 답안 ≫ p.64

　　가족문화연구소에서 '결혼 후 반드시 함께 살아야 하는가'에 대해 20대 이상 남녀 2,500명을 대상으로 설문 조사를 실시하였다. 조사 결과, 남성은 '그렇다'가 75%, '아니다'가 25%로 나타났으며, 여성은 '그렇다'가 65%, '아니다'가 35%로 조사되었다. 남성 응답자 중 25%가 '아니다'를 선택한 이유로는 개인 시간 확보와 경제적 부담을 주된 요인으로 들었다. 반면 여성 응답자 중 35%가 '아니다'라고 답한 이유는 직장 생활 유지와 독립적인 생활에 대한 선호가 주요하게 작용한 것으로 나타났다. (288자)

해설

　　이 그래프는 남성과 여성 두 집단으로 구분되어 제시되고 있습니다. 이러한 경우 각 집단의 결과를 순서대로 제시하면 됩니다. 또한 도입 부분은 일반적으로 '[조사 기관]에서 [조사 대상]을 대상으로 [조사 주제]에 대해 조사하였다 [조사를 실시하였다]'라고 작성하면 됩니다.

2. 모범 답안 ≫ p.65

　　소비자연구소에서 '전자제품 구매 시 가장 중요하게 생각하는 기준'에 대해 20대와 50대 남녀 각각 1,000명을 대상으로 설문 조사를 실시하였다. 조사 결과, 20대의 경우 디자인이 45%로 가장 높게 나타났으며 가격과 성능이 각각 33%와 22%로 뒤를 이었다. 반면 50대의 경우 성능이 전체의 절반 수준인 48%로 가장 높게 나타났으며 가격과 디자인이 각각 38%와 14% 순으로 나타났다. 조사 결과, 20대와 50대는 '전자제품 구매 시 가장 중요하게 생각하는 기준'에 있어 뚜렷한 의견 차이가 있음을 확인할 수 있다. (297자)

해설

　　이 그래프는 20대와 50대 두 집단으로 구분되어 제시되고 있습니다. 이러한 경우 각 집단의 결과를 '00의 경우'와 같은 표현으로 나누어 서술하면 흐름이 분명해지고 이해하기 쉽습니다. 또한 제시된 수치를 높은 비율에서 낮은 비율 순으로 배열하면 비교가 더욱 명확해지며, '각각 00%와 00%'와 같은 간결한 표현을 사용하면 됩니다.

6 도표 설명하기

p.68

1. 모범 답안   ≫ p.68

　교통수단이란 사람이나 물건을 한 장소에서 다른 장소로 이동시키는 수단을 말한다. 교통수단은 크게 대중교통, 개인교통, 친환경교통으로 나눌 수 있다. 대중교통에는 버스와 지하철이 있으며, 환경 부담이 적고 요금이 저렴하다는 특징이 있다. 개인교통의 대표적인 예는 자동차와 오토바이로, 이동이 자유롭고 편리하며, 자신이 원하는 시간과 경로를 선택할 수 있다는 장점이 있다. 친환경교통에는 자전거와 전기차 등이 포함되며, 배출 가스가 적거나 없어 환경 보호에 유리하고 지속 가능성이 높다는 특징이 있다. (279자)

해설

　일반적으로 알려진 내용을 바탕으로 주어진 사물에 대한 정의를 내리면 됩니다. 제시된 사물의 분류와 유형별 예시를 설명하고, 각 유형의 특징을 구체적으로 제시하면 됩니다. 이때, 다양한 표현을 번갈아 사용하여 글이 단조롭지 않게 작성하는 것이 좋습니다.

7 삼단 구조로 개요 쓰기

p.79

1. 개요

- 챗봇 AI를 사용했을 때 좋은 점은 무엇인가?
  사람처럼 질문, 대답
  정보 빨리 찾음, 분석, 정리
  　↳ 시간 ↓
- 챗봇 AI가 제공하는 답변에서 무엇이 문제가 되는가?
  잘못된 정보, 정보 빠뜨림
  　↳ 전달 X
  AI가 만듦 ＝ 내가 만듦
  　↳ 대학 보고서, 시험
- 이런 문제를 최소화하기 위해서는 어떻게 해야 하는가?
  데이터 검사, 여러 데이터
  사용 규칙
  　↳ 정직한 이용

2. 개요

- 오버 투어리즘이 발생하는 원인은 무엇인가?

  비용 싸짐

  ↳ 앱, 싼 비행기 & 숙소

  SNS 사진, 전 세계

  ↳ 국내만 유명 → 전 세계 앎, 준비 X

- 오버 투어리즘으로 인해 어떤 문제가 생길 수 있는가?

  환경 오염

  ↳ 쓰레기, 교통

  주민들 살 수 X

  ↳ 에어비앤비 → 이사

- 이런 문제들을 해결하기 위해서 어떤 방안이 필요한가?

  정부, 세금, 사람 수 ↓

  관광객, 피해 주지 않기

  ↳ 쓰레기 X, 조용히 하기

3. 개요

- 도전이 중요한 이유는 무엇인가?

  세상이 변함

  ↳ 어르신도 키오스크 배움

  성장함

  ↳ 도전 X → 나은 모습 X

- 도전과 실패의 관계는 어떠한가?

  도전 = 실패의 연속

  ↳ 과학

  실패 = 도전

- 실패가 다시 도전으로 이어지도록 하려면 어떻게 해야 하는가?

  작은 도전부터 시작

  ↳ 실패 극복 방법 배움 & 자신감

  다시 일어설 수 있는 제도

  ↳ 도전을 두려워하지 X

9 원인, 필요성, 해결 방안 쓰기　　p.93

1. 〔모범 답안〕　≫ p.93

　　최근 ChatGPT와 같은 AI를 통해 정보를 얻는 사람들이 많아지고 있다. AI의 장점으로는, 우선 사람에게 질문하는 것처럼 질문할 수 있고, AI도 사람처럼 대답한다는 것이다. 다음으로 AI는 정보를 빠르게 찾아서 분석하고 정리해 줘서, 정보 수집과 정리 시간을 크게 줄여 준다.

　　하지만 AI로 인해 발생하는 문제점도 많다. 첫째, AI가 잘못된 정보를 줄 수 있고, 어떤 정보는 빠뜨리기도 한다. 그래서 AI가 준 정보를 의심하지 않고 사용하다가는 잘못되거나 정확하지 않은 정보를 전할 수 있다. 둘째, 사람들이 AI가 만든 것을 자신이 만든 것이라고 할 수 있다. 실제로 대학에서 AI가 쓴 보고서를 내거나 AI를 사용해서 시험을 보는 일이 일어나고 있다.

　　이러한 문제를 해결하기 위해서는 먼저 AI에 잘못된 정보가 들어가지 않도록 데이터를 검사해야 하고, 여러 가지 데이터를 골고루 넣어야 한다. 그리고 AI 사용 규칙을 만들어 사람들이 정직하게 AI를 이용할 수 있게 해야 한다. (499자)

〔모범 답안〕　≫ p.93

　　최근 ChatGPT와 같은 서비스가 확산되면서 AI를 통해 정보를 얻는 사람들이 점점 많아지고 있다. AI의 장점으로는, 우선 사람에게 질문하는 것처럼 쉽게 질문할 수 있고, AI도 사람처럼 사용자가 이해하기 쉽게 대답한다는 것이다. 다음으로 AI는 정보를 빠르게 찾아서 분석하고 정리까지해 줘서, 정보 수집과 정리에 드는 시간과 노력을 이전에 비해 크게 줄여 준다.

　　하지만 AI로 인해 발생하는 문제점도 많다. 첫째, AI가 잘못된 정보를 줄 수 있고, 어떤 정보는 빠뜨릴 가능성도 있다. 그래서 AI가 준 정보를 의심하지 않고 사용하다가는 의도치 않게 잘못되거나 정확하지 않은 정보를 마치 사실인 것처럼 전하게 될 수도 있다. 둘째, 사람들이 나쁜 의도를 가지고 AI가 만든 것을 자신이 만든 것이라고 속일 수도 있다. 실제로 최근 일부 대학에서 학생들이 AI가 쓴 보고서를 내거나 AI를 사용해서 시험을 보는 일이 일어나고 있어 사회 문제가 되기도 했다.

　　이러한 문제를 해결하기 위해서는 먼저 AI에 잘못된 정보가 들어가지 않도록 데이터를 검사하는 시스템을 구축해야 하고, AI에 여러 가지 데이터를 골고루 넣어서 AI가 주는 정보가 한쪽으로 기울지 않도록 해야 한다. 그리고 정부, 기업, 학교 등 각 기관에 맞는 AI 사용 규칙을 만들어 사람들이 정직하게 AI를 이용할 수 있게 유도해야 한다. (674자)

2. 〔모범 답안〕　≫ p.93

　　오버 투어리즘이 발생하는 원인으로 첫째, 여행 비용이 싸졌기 때문이다. 요즘은 앱을 통해 싼 비행기표나 숙소를 구할 수 있어 비용을 낮출 수 있다. 둘째, SNS를 통해 관광지의 예쁜 사진들이 전 세계로 퍼지기 때문이다. 국내에서만 유명했던 관광지가 준비도 없이 전 세계 사람들에게 알려지는 것이다.

　　오버 투어리즘의 문제로는 먼저, 관광지의 환경 오염을 들 수 있다. 짧은 기간에 많은 사람들이 몰리면 쓰레기나 교통 문제가 생길 수밖에 없다. 또한 오버 투어리즘이 심해지면 주민들이 지역에서 살 수 없게 된다. 예를 들면 주민들이 살고 있는 집이 에어비엔비로 바뀌면서 주민들은 지역을 떠나야 하는 경우가 있다.

　　이런 문제들을 해결하기 위해서 우선, 정부에서는 관광객들에게 세금을 받거나 관광객 수를 줄이는 정책을 만들 수 있다. 그리고 관광객들은 주민들에게 피해를 주지 않도록 노력해야 한다. 쓰레기를 함부로 버리지 않고 관광지가 아닌 곳에서는 조용히 하는 등, 여행 매너를 지켜야 한다. (498자)

`모범 답안` ≫ p.93

　오버 투어리즘이 발생하는 원인으로 첫째, 여행 비용이 예전보다 싸졌기 때문이다. 요즘은 앱을 통해 값싼 비행기 표나 숙소를 누구나 쉽게 구할 수 있어서, 관광객들이 여행 비용을 크게 낮출 수 있게 됐다. 둘째, 인스타그램과 같은 SNS를 통해 관광지의 예쁜 사진들이 전 세계로 퍼져 나가기 때문이다. 예를 들어 국내에서만 유명했던 관광지가 준비도 없이 하루아침에 전 세계 사람들에게 알려지는 경우를 쉽게 찾아 볼 수 있다.

　오버 투어리즘의 문제로는 먼저, 관광지의 환경 오염 문제를 들 수 있다. 짧은 기간에 많은 사람들이 한 장소에 몰리면 쓰레기나 교통 문제가 생길 수밖에 없을 것이다. 또한 오버 투어리즘이 심해지면 지역 주민들이 그 지역에서 살 수 없게 될 가능성이 높다. 예를 들면 지역 주민들이 살고 있는 집이 관광객을 위한 에어비엔비로 바뀌면서 주민들은 어쩔 수 없이 지금까지 살아온 지역을 떠나야 하는 경우가 생길 수 있다.

　이런 문제들을 해결하기 위해서 우선, 정부에서는 관광객들에게 관광지나 호텔에 대한 세금을 받거나 관광객이 몰리는 시기에는 일시적으로 관광객 수를 줄이는 정책을 만들 수 있다. 그리고 관광객들은 지역 주민들에게 피해를 주지 않도록 노력해야 한다. 관광지에 쓰레기를 함부로 버리지 않고 관광지가 아닌 곳에서는 조용히 하는 등, 여행 매너를 지키도록 노력해야 한다. (670자)

3.　`모범 답안` ≫ p.94

　도전이 중요한 이유는 먼저, 세상이 계속 변하기 때문이다. 예를 들어 지금은 키오스크를 사용할 줄 모르면 주문을 못 하는 곳이 많아서, 어르신들도 키오스크를 배우고 있다. 다음으로 사람들은 도전을 통해 성장할 수 있기 때문에 도전이 중요하다. 만약 우리가 아무런 도전도 하지 않는다면, 우리에게 더 나은 모습을 기대하기는 어렵다.

　하지만 도전이 항상 성공으로 이어지는 것은 아니다. 도전은 실패의 연속이 될 수 있다. 특히 과학의 경우, 수백, 수천 번 실패를 한 후에 성공하는 경우가 많다. 따라서 우리는 실패를 도전의 다른 이름이라고 생각해야 한다.

　실패가 다시 도전으로 이어지도록 하려면 우선, 작은 도전부터 시작해야 한다. 작은 도전은 쉽게 시작할 수 있고 성공도 어렵지 않아, 우리는 작은 도전에서 실패를 극복하는 법을 배우고 자신감을 얻을 수 있다. 다음으로 사회는 사람들이 실패하더라도 다시 일어설 수 있도록 제도를 마련해야 한다. 그래야 사람들이 도전을 두려워하지 않을 것이다. (500자)

`모범 답안` ≫ p.94

　도전이 중요한 이유는 먼저, 세상이 끊임없이 변하기 때문이다. 예를 들어 지금은 키오스크를 사용할 줄 모르면 주문을 못 하는 식당이나 카페가 많아서, 나이가 많은 어르신들도 햄버거나 커피를 주문하기 위해서 키오스크를 배우는 경우가 많다. 다음으로 사람들은 도전을 통해 익숙한 환경과 한계를 넘어서 한 단계 더 성장할 수 있기 때문에 도전이 중요하다고 할 수 있다. 만약 우리가 아무런 도전도 하지 않는다면, 우리에게 더 나은 발전된 모습을 기대하기는 어려울 것이다.

　하지만 도전이 항상 성공으로 이어지는 것은 아니다. 도전은 실패의 연속이 될 수도 있다. 특히 과학이나 기술의 경우, 수백 번, 수천 번 실패를 한 이후에야 성공하는 경우가 많다. 따라서 우리는 실패를 능력이 부족한 것으로 생각할 것이 아니라, 도전의 다른 이름이라고 생각해야 한다.

　실패가 다시 도전으로 이어지도록 하려면 우선, 작은 도전부터 시작해야 한다. 작은 도전은 언제나 쉽게 시작할 수 있고 성공도 크게 어렵지 않아, 우리는 작은 도전에서부터 실패를 경험해 봄으로써, 혹시라도 나중에 있을 더 큰 실패를 극복하는 방법을 배우고 자신감을 얻을 수 있을 것이다. 다음으로 사회는 사람들이 실패하더라도 언제든 다시 일어설 수 있도록 튼튼한 사회 보장 제도를 마련해야 한다. 그래야 사람들이 각자의 분야에서 도전하는 것을 두려워하지 않을 것이다. (681자)

1회

51. 모범 답안　　　　　　　　　　　　　　　　　　　　　　　　　　　　≫ p.96

㉠ : 진행하려고 합니다/진행하고자 합니다
㉡ : 신청을 바랍니다/참여를 바랍니다

해설

풀이 단계	해설
1 글의 종류와 대상 파악하기	글의 종류 : 안내문 글의 대상 : 불특정 대상
2 글의 목적 확인하기	이 글은 외국인 유학생을 대상으로 하는 '김치 만들기' 체험 수업을 안내하는 글입니다.
3 앞뒤 내용에 어울리는 어휘·문법 생각하기	㉠ 뒤의 내용을 보면 김치 만들기 수업에 대한 자세한 설명이 제시되어 있으므로, 문맥상 앞 문장에 배경을 소개하는 내용이 들어가야 합니다. 따라서 '진행하다'나 '하다'라는 단어와 '-(으)려고 합니다'나 '-고자 합니다'라는 문법을 결합해서 답안을 작성할 수 있습니다. ㉡ 앞의 '누구나 참여할 수 있다'라는 말이 있으므로, 문맥상 '참여'나 '신청'이라는 명사에 '부탁드립니다'라는 문법을 활용해서 답안을 작성하면 됩니다.
4 오류 점검하기	선택한 단어와 문법의 호응이 잘 어우러졌는지 확인합니다. 그리고 맞춤법과 불특정 대상을 위한 문법 표현에 틀린 부분이 있는지도 점검합니다.

52. 모범 답안 ≫ p.96

㉠ : 저녁보다 아침에 마시는 것이 좋다

㉡ : 아침 식사 전이라면/아침 식사를 하지 못한다면

해설

풀이 단계	해설
1 글의 목적 확인하기	이 글은 커피를 마시는 데에 적합한 시간과 그 이유를 설명하는 글입니다.
2 연결 표현 확인하기	'-기 때문에'는 이유 설명의 전개 방식에, '그런데'는 대조의 전개 방식에 사용된다는 것을 확인할 수 있습니다.
3 앞뒤 내용에 어울리는 어휘·문법 생각하기	㉠ 앞에 '아침에 커피를 마신다'라는 말, 그리고 이유를 설명하는 '-기 때문에-' 표현이 제시되어 있으므로, 결론을 다시 강조하는 내용을 나타내기 위해 '(저녁보다) 아침에 커피를 마시다'라는 표현과 '-는 것이 좋다'라는 문법을 사용하면 문장을 완성할 수 있습니다. ㉡ 앞에 '만약'이라는 표현과 뒤에 '커피를 피하는 것이 더 낫다'라는 말이 있으므로, 문맥상 앞에 언급된 '아침 식사 후'와 반대되는 상황을 가정하는 내용이 들어가야 합니다. 따라서 '아침 식사 전'이라는 표현과 '-(이)라면-'문법 표현을 사용해서 답안을 작성하면 됩니다. 또는 '아침 식사를 하다'라는 표현을 활용하여 이를 부정하는 '-지 못하다-'와 '-ㄴ/는다면-'이라는 문법 표현을 사용하면 됩니다.
4 오류 점검하기	선택된 단어와 문법의 호응이 잘 이루어졌는지 확인합니다. 그리고 맞춤법과 조사에 틀린 부분이 있는지도 점검합니다.

53. 모범 답안 ≫ p.97

최근 20년 동안 일회용 컵 사용량은 증가하다가 감소하는 추세를 보였다. 2005년에는 5천만 개에 불과하던 일회용 컵 사용량이 꾸준히 증가하여 2015년에는 1억 2천만 개에 이르렀다. 이는 10년 사이에 약 7천만 개가 증가한 것이다. 그러나 이후 사용량은 지속적으로 감소하여 2025년에는 8천만 개까지 줄어들었다. 이러한 감소의 원인으로는 친환경에 대한 인식이 확산된 점과 커피 전문점을 중심으로 다회용 컵 사용이 권장된 점을 들 수 있다. 이러한 이유로 일회용 컵 사용량은 앞으로도 계속 감소할 것으로 예상된다. (292자)

해설

먼저 변화를 제시하기 위해 전반적으로 일회용 컵 사용량이 증가하다가 감소하는 추세를 설명하고, 이후 그래프에 표시된 숫자를 하나하나 설명할 수 있습니다. 그다음으로 일회용 컵 사용량이 감소하는 원인을 설명하고 전망을 제시하면 됩니다.

54. 모범 답안 ≫ p.97

　많은 나라에서 수업 시간에 스마트폰을 사용하는 것이 금지되었다. 스마트폰 사용 금지의 장점으로는 우선, 학생들이 수업에 집중할 수 있고, 선생님도 스마트폰에 방해를 받지 않고 수업할 수 있다는 것이다. 다음으로는 스마트폰을 보는 시간을 줄여, 학생들의 SNS 중독과 같은 문제를 예방할 수 있다는 것이다.

　그러나 스마트폰 사용을 금지했을 때 장점만 있는 것이 아니다. 먼저 스마트폰으로 대표되는 스마트 기기를 활용하는 방법을 배우기 어려울 것이다. 학생들은 스마트 기기로 SNS만 하는 것이 아니다. 책을 볼 수도 있고, 공부에 도움이 되는 정보를 찾을 수도 있다. 또한 부모님이 학생에게 직접 연락할 일이 있다면 불편해질 것이다.

　이러한 문제를 해결하기 위해서는 첫째, 스마트폰 사용 금지와 함께 스마트 기기를 올바르게 사용하는 법도 교육해야 할 것이다. 둘째, 부모님이 학생에게 직접 연락할 수 있도록 쉬는 시간에는 스마트폰을 허락하는 등, 구체적인 사용 규칙을 마련해야 할 것이다. (498자)

모범 답안 ≫ p.97

　최근 많은 나라에서 학생들이 수업 시간에 스마트폰을 사용하는 것이 금지되었다. 수업 중 스마트폰 사용 금지의 장점으로는 우선, 불필요한 알림이나 게임과 같은 유혹 없이 학생들이 수업에 집중할 수 있다는 것이고, 선생님들도 학생들의 스마트폰에 방해를 받지 않고 수업할 수 있다는 것이다. 다음으로는 스마트폰을 보는 시간을 강제로라도 줄여, 학생들의 게임이나 SNS 중독과 같은 문제를 예방할 수 있다는 것이다.

　그러나 스마트폰 사용을 금지했을 때 장점만 있는 것이 아니다. 먼저 학생들이 스마트폰으로 대표되는 스마트 기기를 교육적으로나 필요에 맞게 활용하는 방법을 배우기 어려울 것이다. 학생들은 스마트 기기로 게임이나 SNS만 하는 것이 아니다. 다양한 분야의 책을 볼 수도 있고, 공부에 도움이 되는 정보를 쉽고 빠르게 찾을 수도 있다. 또한 부모님이 학교에 있는 학생에게 직접 연락할 일이 생긴다면 스마트폰이 없이는 바로 연락이 안 돼 불편해질 수도 있을 것이다.

　이러한 문제를 해결하기 위해서는 첫째, 스마트폰 사용 금지와 함께 학생들에게 스마트 기기를 올바르고 책임감 있게 사용하는 방법도 반드시 교육해야 할 것이다. 둘째, 급한 일이 생겼을 때 부모님이 학생에게 직접 연락할 수 있도록 쉬는 시간에는 스마트폰 사용을 허락하는 등, 현실적이고 구체적인 교내 스마트폰 사용 규칙을 마련해야 할 것이다. (677자)

개요

• 수업 중 스마트폰 사용이 금지되었을 때의 장점은 무엇인가?
　학생, 수업 집중 & 선생님, 방해 X
　스마트폰 시간 ↓
　↳ SNS 중독 예방

• 수업 중 스마트폰 사용을 금지했을 때 생기는 문제는 무엇인가?
　스마트 기기 활용법 못 배움
　↳ 책 보기, 정보 찾기
　부모님 연락 불편

• 이런 문제를 해결하기 위해서는 어떻게 해야 하는가?
　스마트 기기 사용법 교육
　사용 규칙 마련
　↳ 쉬는 시간에 허락

2회

51. 모범 답안 ≫ p.98

㉠ : 찾고 있습니다

㉡ : 추천해 주실 수 있습니까

해설

풀이 단계	해설
1 글의 종류와 대상 파악하기	글의 종류 : 이메일 글의 대상 : 교수님 (특정 대상)
2 글의 목적 확인하기	이 글은 교수님께 졸업 논문을 위해 필요한 자료 추천을 부탁드리는 글입니다.
3 앞뒤 내용에 어울리는 어휘·문법 생각하기	㉠ 글의 제목을 통해 글쓴이가 자료 추천을 받고 싶어한다는 것을 알 수 있으므로, 문맥상 이메일을 작성하는 이유와 목적이 들어가야 합니다. 따라서 '찾다'라는 표현과 '–고 싶습니다'나 '–고 있습니다'라는 문법을 사용해서 답안을 작성할 수 있습니다. ㉡ 뒤에 '감사 인사 드리다'라는 표현과 물음표가 제시되어 있으므로, 앞에서 이미 제시된 '추천하다'라는 단어와 부탁의 의도를 나타내는 '–아/어 주실 수 있습니까'라는 문법을 사용해서 답안을 작성하면 됩니다.
4 오류 점검하기	선택한 단어와 문법의 호응이 잘 어우러졌는지 확인합니다. 그리고 맞춤법과 불특정 대상을 위한 문법 표현에 틀린 부분이 있는지도 점검합니다.

52. 모범 답안 ≫ p.98

㉠ : 떨어지게 된다

㉡ : 과정이라고 할 수 있다/방법이라고 할 수 있다

해설

풀이 단계	해설
1 글의 목적 확인하기	이 글은 가을에 낙엽이 떨어지는 이유와 그 의미를 설명하는 글입니다.
2 연결 표현 확인하기	'그 결과'는 원인·결과의 전개 방식에, '이렇게'는 유추의 전개 방식에 사용된다는 것을 확인할 수 있습니다.

3 앞뒤 내용에 어울리는 어휘·문법 생각하기	㉠ 앞에 가을에 낙엽이 떨어지는 현상과 그 원인을 설명하는 말이 있으므로, 문맥상 이 현상으로 인해 나타나는 결과가 들어가야 합니다. 따라서 앞에 제시된 '떨어지다'라는 단어와 '약해지다'와 자연스럽게 호응하는 '-게 되다'라는 피동 문법 표현을 사용하면 문장을 완성할 수 있습니다. ㉡ '결국'이 앞의 전체 내용을 요약하는 것을 나타나므로, 문맥상 '과정'이나 '방법'이라는 단어와 '-(이)라고 할 수 있다'라는 표현을 사용하면 적절합니다.	
4 오류 점검하기	선택된 단어와 문법의 호응이 잘 이루어졌는지 확인합니다. 그리고 맞춤법과 조사에 틀린 부분이 있는지도 점검합니다.	

53. 모범 답안 ≫ p.99

인주시 소비자 연구소에서는 국내 운전면허 보유자 466명을 대상으로 전기차 구매에 대해 조사하였다. 그 결과, 차 구매 시 고려하는 연료 유형에 대한 질문에서는 가솔린과 디젤이 각각 30%로 가장 높은 비중을 차지하였다. 그다음으로 하이브리드 22%, 가스 11%, 전기는 7%로 나타났다. 또한 전기차 구매 계획이 있는지에 대해서 '있다'라고 응답한 비율이 55%로, '없다'(45%)보다 높았다. 구매 계획이 없는 이유로는 충전 장소 부족, 전기차에 대한 신뢰 부족, 그리고 가격 부담 등이 제시되었다. (284자)

해설

먼저 연구 기관, 연구 대상, 연구 항목을 구분하여 도입 부분을 작성합니다. 이어서 두 개의 그래프를 각각 설명합니다. 왼쪽 그래프에서는 항목별 비율을 중심으로 제시하면 되고, 오른쪽 그래프에서는 두 항목의 응답 비율을 각각 제시한 뒤 그 이유를 설명하면 됩니다.

54. 모범 답안 ≫ p.99

다른 사람의 말에 귀 기울이는 것을 경청이라고 한다. 경청이 중요한 이유는 첫째, 경청을 하는 사람에게 믿음이 가기 때문이다. 만약 대화할 때 경청하는 사람과 하지 않는 사람이 있다면, 우리는 경청하는 사람이 대화를 이해하고 있다고 생각할 것이다. 둘째, 경청은 학교나 회사 생활을 잘하기 위해 중요하다.

그런데 경청은 생각보다 쉽지 않다. 왜냐하면 말하는 것이 듣기보다 더 쉽기 때문이다. 예를 들어 회사에서 윗사람은 아랫사람의 말을 경청해야 팀을 잘 이끌 수 있지만, 대부분은 자기 말을 하려고 한다. 그리고 가정에서도 부모가 자녀의 말을 들어 주기보다는 잔소리만 해서 자녀와 대화가 끊어지기도 한다.

다른 사람의 말을 경청하기 위해서는 먼저, 남의 말을 있는 그대로 들어야 한다. 비난하거나 자신의 의견을 강요하지 말고, 남이 뭘 말하고 싶은지를 알아야 한다. 다음으로 질문을 잘해야 한다. 듣기만 하는 것이 경청이 아니다. 궁금한 것을 질문하면서 서로 생각을 나눠야 경청을 한 것이다. (500자)

모범 답안　　　　　　　　　　　　　　　　　　　　　　　　　　　≫ p.99

　다른 사람의 말에 진지하게 귀 기울이는 것을 경청이라고 한다. 경청이 중요한 이유는 첫째, 우리는 경청을 하는 사람에게 자연스럽게 믿음이 가기 때문이다. 만약 대화할 때 상대방의 말을 끝까지 경청하는 사람과 그렇지 않는 사람이 있다면, 우리는 경청하는 사람이 대화를 더 정확하게 이해하고 있다고 생각할 것이다. 둘째, 경청은 학교나 회사와 같은 단체 생활을 원만하게 잘하기 위해서도 매우 중요하다.

　그런데 경청은 생각보다 실천하기가 쉽지 않다. 왜냐하면 대부분의 사람들은 말하는 것이 듣기보다 더 쉽고 편하기 때문이다. 예를 들어 회사에서 윗사람은 아랫사람의 말을 주의 깊게 경청해야 팀을 잘 이끌어 나갈 수 있지만, 대부분은 아랫사람에게 자기 말을 하려고만 한다. 그리고 가정에서도 부모가 자녀의 말을 끝까지 들어 주기보다는 말이 끝나지도 않았는데 잔소리만 해서, 결국 자녀와 대화가 끊어지기도 한다.

　다른 사람의 말을 경청하기 위해서는 먼저, 다른 사람의 말을 편견 없이 있는 그대로 들어야 한다. 쉽게 남을 비난하거나 자신의 의견만을 강요하지 말고, 충분히 들은 후에 그 사람이 진짜로 뭘 말하고 싶은지를 알아내야 한다. 다음으로 다른 사람의 말을 경청하기 위해서는 질문도 잘해야 한다. 사실 무조건 듣기만 하는 것이 경청이 아니다. 궁금한 것을 질문하면서 서로 생각을 깊이 있게 나눠야 진짜 경청을 한 것이다. (682자)

개요

- 경청이 중요한 이유는 무엇인가?
  경청하는 사람, 믿음이 감
  ↳ 대화를 이해한다고 생각
  학교, 회사 생활에 중요
- 언제 경청에 실패하며, 이 경우 어떤 문제가 발생하는가?
  말하기 > 듣기
  ↳ 회사 윗사람, 가정 부모님
- 다른 사람의 말을 경청하기 위해 어떠한 노력을 할 수 있는가?
  있는 그대로 듣기
  ↳ 비난, 강요 X
  질문 잘하기
  ↳ 생각 나누기

원고지

원고지

원고지

원고지

100

200

300

원고지

원고지

원고지

원고지

원고지

원고지

원고지

600

700

원고지

원고지

600
700

원고지

저자 소개

강경민
서강대학교 대우교수
서울대학교 대학원 한국어교육전공 박사

김승수
명지대학교 한국어교육센터 및 숙명여자대학교 글로벌어학원 강사
명지대학교 교육대학원 한국어교육전공 석사

김지혜
명지대학교 조교수
서울대학교 대학원 한국어교육전공 박사

김풀잎
서울대학교 언어교육원 전임강사
서울대학교 대학원 한국어교육전공 박사

린미
경기외국어고등학교 교사
서울대학교 대학원 한국어교육전공 박사수료

부이티낌응언
㈜와이이오 주임
국제언어대학원대학교 한·베 통번역학 석사

양길류
중국전매대학교 교수트랙 박사후연구원
서울대학교 대학원 한국어교육전공 박사

쩐후인안트
㈜에프피티소프트웨어코리아 프로젝트매니저
경희대학교 대학원 국제경영전공 석사

최단
스누디딤돌학교 한국어강사
서울대학교 대학원 한국어교육전공 박사수료

홍고은
서강대학교 한국어교육원 대우전임강사
서울대학교 대학원 한국어교육전공 박사수료

TOPIK Ⅱ 쓰기

초판 인쇄 | 2026. 4. 10.　**초판 발행** | 2026. 4. 15.
공편저자 | 강경민, 김승수, 김지혜, 김풀잎, 린미, 부이티낌응언, 양길류, 쩐후인안트, 최단, 홍고은
발행인 | 박 용　**발행처** | (주)박문각출판　**등록** | 2015년 4월 29일 제2019-000137호
주소 | 06654 서울시 서초구 효령로 283 서경 B/D 4층　**팩스** | (02)584-2927
전화 | 교재 문의 (02)6466-7202

저자와의
협의하에
인지생략

정가 46,000원(총 3권)
ISBN 979-11-7519-857-9 | 979-11-7519-855-5(set)